CONY

Nova Fronteira Acervo

CONY
carlos heitor

Paixão segundo Mateus

Romance inédito

Prefácio de
Marco Lucchesi

Copyright © 2022 MPE-MILA PRODUÇÕES EDITORIAIS

Direitos de edição da obra em língua portuguesa no Brasil adquiridos pela Editora Nova Fronteira Participações S.A. Todos os direitos reservados. Nenhuma parte desta obra pode ser apropriada e estocada em sistema de banco de dados ou processo similar, em qualquer forma ou meio, seja eletrônico, de fotocópia, gravação etc., sem a permissão do detentor do copirraite.

Editora Nova Fronteira Participações S.A.
Rua Candelária, 60 — 7º andar — Centro — 20091-020
Rio de Janeiro — RJ — Brasil
Tel.: (21) 3882-8200

Imagem de capa: Getty Images - Colors Hunter - Chasseur de Couleurs

Dados Internacionais de Catalogação na Publicação (CIP)

C786p	Cony, Carlos Heitor
	Paixão segundo Mateus / Carlos Heitor Cony. – Rio de Janeiro: Nova Fronteira, 2022.
	184 p.; 15,5 x 23 cm
	ISBN: 978-65-5640-509-4
	1. Literatura brasileira. I. Título.
	CDD: 869.2
	CDU: 82-2 (81)

André Queiroz – CRB-4/2242

PREFÁCIO

A Paixão segundo Cony

Li de uma só vez, com duas pausas, se muitas, da madrugada ao amanhecer, o romance póstumo do inquieto e fascinante Carlos Heitor Cony. Como quem descobre uma carta não enviada, perdida numa gaveta entreaberta, sem destinatário — a todos e ninguém —, consignado, muito embora, o remetente, num jogo de espelhos remissivos. Faltou pouco para escoimar uma e outra parte, cortes e acréscimos, como deixou claro, na última revisão, suspensa em 2005, através de um movimento pendular: frontal e irresoluto, áspero e compassivo. Acenos de utopia e desencanto, estrela e solidão, no céu escuro deste século. Livro que flui para o leitor, na lisa superfície da narrativa, mas que se escreve sob dura condição, áspera e irregular. *Legato* que repousa na soma de *staccati*.

Se a intenção do autor não atinge a totalidade que impôs a seus papéis — crítico feroz —, a intenção da obra resulta compacta e orgânica. Diria mesmo autossustentável. Entre as duas intenções, da obra e do autor, é privilégio de quem lê discernir os domínios da reta e o pontilhado, o que podia ter sido e o que ficou, na matéria verbal, na música do pensamento. A última parte, quando cresce a tensão entre ato e potência, surge como plano-piloto ou diário das personagens, na translúcida beleza, de que cada fragmento é portador.

A potência de Cony, feita de rocha e magma, segue irrefutável. O estilo firme, castigado, objetivo. Corte nervoso, dicção poética. A *Paixão* é romance de sabor carioca, erudito e popular, sem linhas divisórias. Vila Isabel, Gávea, Alto da Boa Vista. Cidade que remete a um programa literário, entre Lima Barreto e Machado de Assis. A rua e o seminário. Os delírios de Brás Cubas e Policarpo incidem no sonho de Mateus, não importa se de olhos abertos ou fechados, com deslocamento de planos, pontos de vista flutuantes, desejos e figuras. Texto primoroso, de conteúdo latente, que avança, e retrocede, segundo o índice do mistério da iniquidade, autêntico motor de sua ficção, base de sua razão existencial.

Cony jamais renunciou à dúvida metódica, ao entrechoque do novo com o antigo, mas sem querelas inúteis: sagrado e profano, utopia e distopia, Roma tropical, encarnada no Rio, e a outra, latina e metafísica, segundo uma deriva necessária. Esse entrechoque deu-lhe o sal da rebeldia, recusa e adesão. *Sic et Non*, podia ser o seu mote. Sentinela da noite e dos sentidos: cuidar do estilo, mantendo a unidade dos primeiros capítulos, ou preferir uma incursão de uma linguagem potente e misteriosa das duas introduções finais, do Orto e do Deserto. Isto e aquilo, a revisão em processo, a unidade da escrita e o capítulo tomista, aquele da unidade, ferido, todavia, pelo mistério.

Não faltam hipóteses para explicar a reserva do autor sobre o romance e sua adesão aos véus do silêncio. Importa referir, contudo, que o mérito de vir a público é todo de Regina Cony, que tomou a sábia decisão, no auge da pandemia, de publicá-lo. Não como preito restrito à memória do autor, mas como quem enriquece a literatura brasileira, pela força imanente da paixão, que é de Cony e de Mateus.

Marco Lucchesi
Massarosa, maio de 2022

Primeira parte

O circunciso

O porteiro mantinha a afirmação, ouvira o grito. Mas o vigia da obra ao lado jurava que não ouvira grito algum, apesar de ter visto o corpo da moça bater na calçada.

O policial cansara-se dos dois idiotas. Não diziam coisa com coisa, para um só fato davam versões que se contradiziam, tão absurdas que tornavam o fato relativamente simples num absurdo igual.

O vigia da obra parecia sincero, embora pouco inteligente. Só tivera tempo de desviar o corpo, por pouco seria colhido pela massa escura que descia sem forma ao longo da enorme parede do edifício. Não sabia precisar como nem por que, mas qualquer coisa chamara sua atenção para cima, ele teve de olhar, um silêncio sólido o esmagaria, a princípio pensou num móvel, um armário talvez, esperou ouvir o som da madeira se estraçalhando quando batesse no chão. Espantou-o o baque surdo. Muito mais que o filete de sangue que logo escorreu da boca que comera o abismo e a morte sem dar um grito. Não, não dera grito nenhum, tinha certeza.

Já o porteiro contava outra coisa, um dialético, complicava tudo, com manha talvez. Havia cochilado na cadeira de lona que armava todas as noites por trás do balcão da portaria. Despertara primeiramente com o barulho da porta do elevador, alguém havia saído, não viu quem, quando a porta fez barulho já a pessoa transpunha o portão principal e se perdia na rua. O sono o amolecia, não se deu ao trabalho de ir ver quem era, tanto lhe fazia. De qualquer forma, custou a dormir novamente. Lembrou-se de verificar a caixa das bombas d'água, na semana passada haviam roubado as duas bombas do prédio dos fundos. Levantou-se, foi à área interna do edifício, a porta da caixa estava fechada. Voltou para a portaria, quando se sentava novamente na cadeira de lona ouviu distintamente. Parecia, de início, uma gargalhada. Mas logo a gargalhada se transformou em grito. O baque na calçada engoliu o grito subitamente. Foi para fora; viu o vigia da obra curvado sobre a massa escura estendida. Chegou mais perto. Conheceu a moça, morava sozinha no nono andar.

O policial abanava os braços:

— Dois imbecis!

O delegado abaixou a cabeça. Não chegava a ser feroz, irritado apenas:

— Três imbecis!

Passou o dedo ao longo do vidro da mesa. A pasta de cartolina lá estava, aberta, os laudos, o exame do médico-legal, os depoimentos. Parecia suicídio. A investigação sobre o grito ou não grito era ociosa, secundária. Melhor apertar o porteiro para maiores informes sobre a vítima. Mas tudo fora por água abaixo. Um rapaz da polícia técnica que estudara em Boston chegara mais rápido, não complicou, foi direto ao assunto, sem burocracia processual. Havia um acidente e uma vítima. Desses dois princípios partiu para o resto. A vítima era mulher. Começou por ela. Tinha amante — todas elas o têm, parece —, ou melhor, vários amantes. Mas o amante oficial suspeitava da traição, escondera-se no apartamento, o flagrante. Foi simples depois. Discutiram, talvez nem isso, a janela baixa, um empurrão bastou, a mulher caiu de camisola, "camisola rosa", dizia o laudo da perícia técnica, "apresentando manchas de sangue sujas de pó".

O delegado olhava a pasta em silêncio, caso tão simples, tão na cara; entretanto, o palpite soara dentro dele, alguma coisa o advertia. A pasta de cartolina, os laudos datilografados, a fita vermelha que foi encontrada entre os dedos da moça.

Pegou na fita. Passou a língua de gorgorão vermelho entre os dedos. Reparava nos três imbecis. O porteiro tinha cara assustada, mentia na certa, escondia pormenores secundários, a polícia sabia que no edifício havia apartamentos suspeitos onde mulheres recebiam amantes, onde havia jogo forte aos sábados. O porteiro tremia e temia, recebia gorjetas, seu silêncio valia ouro — ele devia ter consciência disso. Por isso complicara a história. Impossível que não tivesse visto quem saíra logo depois ou pouco antes do crime.

A fita vermelha entre os dedos. Onde diabo a mulher arranjara aquilo? Fita estreita, meio centímetro de largo, menos de um palmo no comprido. Não estava amarrotada, não servira de laço de cabelo ou de vestido. A vítima estava com ela nas mãos, não chegara a discutir com seu assassino, se entregara à morte sem desespero, placidamente.

O rapaz da polícia técnica que desvendara o caso não ligara para os laudos oficiais. Fora direto à vida da mulher, desprezando detalhe tão insignificante que de início parecia pista esclarecedora.

Abanou os braços:

— Tanto faz, desde que deu certo!

O policial, para manter dignidade diante dos dois homens que interrogara, perguntou importante:

— O homem então confessou?

— Não foi preciso.

O outro pareceu não ter entendido:

— O que houve? O médico era tão suspeito quanto qualquer outro gajo da dona, podia ser ele como podia ser outro, ninguém viu!

— Poder, podia. Mas tudo estava contra ele. Era o amante oficial. O que dispunha de tempo para ter ciúmes, para cercá-la, surpreendê-la e sofrer mais com tudo isso, até o desespero. Além disso: foi ele quem saiu do edifício logo depois do crime. Esse porteiro mentiu, a pessoa saiu quatro ou cinco minutos depois da mulher ter batido no solo.

— Então o homem confessou?

O delegado olhou-o com ódio:

— Não. Suicidou-se, agora mesmo, na outra sala.

O policial mais o porteiro e o vigia da obra olharam para a porta por onde há pouco o delegado entrara. Do outro lado, um homem acabara com a vida, após ter acabado com a vida da mulher que amara. Nenhum dos três ouvira grito algum, a morte usa o silêncio.

O delegado fechou a pasta de cartolina. Ia dizer qualquer coisa, preferiu ficar calado. Ao apanhar a pasta da mesa, a fita vermelha caiu ao chão, sem ruído. O vigia da obra foi quem notou:

— A fita caiu.

O delegado olhou a fita. Ia abaixar-se para apanhá-la, desistiu. O caso estava encerrado, a fita inútil, não serviria para mais nada. Talvez nunca tivesse servido para nada mesmo.

Evitou entrar no outro cômodo. Havia um cadáver do outro lado. Deu a volta, passou novamente entre os três homens.

— Pode mandá-los embora. Fique com o endereço do porteiro.

O policial já se dirigia para a porta, gostava de ver defuntos recentes, novo no ofício ainda. O porteiro seguiu atrás do delegado. O vigia da obra foi até o centro da sala, abaixou-se junto à mesa, apanhou a fita. Fora ele o primeiro a ver o corpo da morta, no momento não reparara, mas ela devia ter as mãos fechadas. "Vou guardá-la!"

Apertou-a na mão. Sentiu nojo e ternura. Era a mesma fita que a moça de corpo bonito levou para a morte, apertando-a na mão, ou talvez contra o peito.

***

Sou padre desde que me entendo. Nasci em família católica, meus pais eram beatos até à ferocidade e que a terra lhes seja leve. Joguei bastante água-benta em cima das duas covas e com isso cumpri uma obrigação filial e profissional. Não tenho que me queixar deles, fizeram o que foi possível e sempre na melhor das intenções.

Minha infância foi marcada pela Igreja e pelos pios ensinamentos. Fiz a primeira comunhão aos seis anos, arrumaram-me a roupinha branca, o terço de cristal e um lírio que fedia. Guardo até hoje o retrato, numa gaveta do meu armário de livros. O fotógrafo coloriu um Jesus de túnica vermelha e azul dando-me a hóstia branquinha, um anjo ajoelhado, de imponentes asas, segurando o cibório. Minha cara saiu de lado, a impressão que dá é que Jesus me enfiava a hóstia pelas orelhas. O mais, tudo certo: o livro aberto na página dos atos de fé e contrição, o terço numa das mãos, o lírio na outra, duro, como uma tocha.

A essa época meu destino estava traçado. Nutria secretamente a esperança de que minha irmã mais velha enveredasse um dia pelos bons caminhos e entrasse num convento. Isso libertaria meus pais de me fazer padre. Tinham que imolar um filho ao Senhor — aquela história de Isaac se repete ainda; se Olguinha demonstrasse propósitos conventuais seria mais simples me libertarem do holocausto. Mas Olguinha era rebelde, dada a respostas, a malcriações — caso perdido, foi a opinião geral na família.

Ora, eu era santo. Trescalava a incenso, vivia em fumigações de sacristia. Sempre dócil, diziam os outros, embora fosse apenas pateta. Habituei-me mais cedo que o normal das coisas a não estranhar nada, a aceitar tudo sem perplexidade, a atitude que me ficava bem à cara balofa e sem expressão que tomavam por pia. Era calado, bem-comportado, cortava as unhas decentemente, não sujava as roupas.

— Incapaz de me dar um desgosto! — dizia o pai.

— Esse menino cheira à missa! — dizia a mãe.

As missas têm cheiro — é bom que o diga logo, tudo tem cheiro na vida, há até aquele cheiro de santidade para a hora da morte.

Criei tal fama e tal cheiro desde muito cedo. Difícil de se livrar, um cheiro.

Padre Tiago era vigário de Vila Isabel e nós morávamos ao pé da Matriz de Nossa Senhora de Lourdes. O sonho de padre Tiago era construir uma igreja suntuosa — coisa que conseguiu após muitos anos de luta e sacrifícios. Fui o diácono do solene pontifical com que o senhor cardeal sagrou a igreja, muitos anos depois. Igreja horrorosa, de muito mau gosto, umas estátuas enormes e um São Miguel matando um demônio de olhos incandescentes que tirou o sono de muito guri do catecismo, inclusive o meu.

Minhas primeiras recordações estão todas presas ao pequeno trajeto que vai da rua Souza Franco até a Matriz, pelo antigo boulevard 28 de setembro uns 300 metros, não mais. Trajeto muito importante na minha vida, devido a ele foi que me vi seriamente comprometido com a causa de Deus e dos padres.

Certa manhã — era já coroinha —, acordei cedo para ir ajudar a missa de frei André, um servita que viera na véspera para as confissões da quaresma. Ao passar pela esquina da Souza Franco com o boulevard, de um daqueles botequins onde se reuniam malandros do bairro que faziam sambas e badernas pelas madrugadas, saiu um camarada magrinho, sem queixo, muito bêbado, famoso nas adjacências pelos seus sambas. A quem, o pai, certa feita, dera uma corrida por causa de um galo que ele e mais alguns companheiros tentavam roubar do nosso quintal.

Sua tuberculose era decantada, lá em casa mandavam que eu passasse ao largo do botequim, "por causa dos micróbios". Mas não eram só os micróbios, eram as imoralidades de sua boca, boca aleijada e feia, de onde saía a voz fanhosa para os sambas que todo mundo começava a cantar. Hoje, há até livros sobre sua vida. Mas naquela manhã não fez nada que merecesse livro. Saiu cambaleando, sujo, chapéu no alto da cabeça, gravata enfiada no bolso do paletó. Quase esbarrou comigo quando eu virava a esquina fatal. Cheirava a álcool, fumo, cheiros vis, bem diversos do cheiro de santidade. Eu cheirava a um sono limpo e honesto, dentifrício na boca, água de colônia nas mãos. Ele apontou o magro dedo para mim:

— Lá vai o filho do padre!

A gargalhada estourou dentro do botequim. Eu corri, alarmado, como se fugisse das caldeiras do inferno. Cheguei na Matriz com o coração na boca, pálido, foi preciso que o Egídio, sacristão-geral, me desse um pouco de água.

Recusei heroicamente, não quebraria o jejum por ter tão pouco, queria comungar, comungava todos os dias para ser menino bonzinho e bem-comportado. Egídio propalou o fato e durante a missa frei André me mandou um sorriso de aprovação. Mais tarde, padre Tiago contou o incidente a meus pais. Naquele dia, lá em casa toda falaram baixinho, como se a casa houvesse se transformado em santuário. Eu era o santo.

No fundo eu sabia que não era santo. Era filho do padre. Chegara mesmo a fazer comunhão quase sacrílega; na hora em que recebia a hóstia das mãos de frei André, embora dizendo mentalmente a frase que haviam me ensinado (Meu Senhor e Meu Deus!) por dentro pensava em como um padre podia ter filho. Olhava frei André, volumoso, cabelo cor de fogo a escorrer em cachos pela nuca, fedendo sempre a óleo. Padre Tiago que só pensava em construir sua igreja... não, essa gente não podia ter filhos.

Mas desde aquele dia me senti comprometido com a causa. Muita gente explorou meu heroico feito. Mamãe foi designada para presidente da Liga do Sagrado Coração, posto que ela disputava acerbamente durante vários anos com dona Aninha, mulher do comandante Passos, da Marinha Mercante, que trazia as bandeiras de seu navio para enfeitar o adro no dia de festas. Mas o rebento de dona Aninha era um depravado, dizia palavrões, vivia passando a mão nas pernas das meninas.

Meu pai também subiu na Congregação Mariana, teve direito a usar a fita de gorgorão azul mais larga que a dos outros, com estrelas prateadas, símbolo de alta hierarquia para as procissões, as guardas ao Santíssimo.

Só Olguinha continuava refratária. Vivia com as coisas de fora por dentro de casa, meu pai a castigava e minha mãe fazia o que podia para que não brincássemos juntos. Incutiram-me pouco a pouco ódio a minha irmã, na suposição de que, odiando Olguinha, mais tarde estendesse meu ódio a todas as mulheres. Ficamos estranhos, quando cresci muito depressa esqueci que havia uma mulher com meu sangue, com meu nome.

A carreira na senda do bem foi promissora. Aos seis, primeira comunhão. Aos sete, ajudava nas missas. Aos oito, aprendia órgão com padre Tiago. Aos nove, entrei como aspirante na Congregação Mariana, onde tive ascensão fulminante que me valeu ódios ferrenhos de todo o bairro. Entrei como monitor, era o único que podia, em determinadas partes da missa ou das ladainhas, ficar em pé ou sentado. Era privilégio disputadíssimo. Aos 11 anos, o senhor cardeal veio fazer a visita pastoral na paróquia, fui o primeiro a ser crismado; depois servi de acólito em todas as cerimônias, ao lado de Sua Eminência.

Foi por essa época que o padre Tiago e o senhor cardeal tramaram tudo. Uma das finalidades das visitas pastorais é a de procurar o pastor, entre as tenras ovelhinhas, aquelas que demonstram queda para o pastoreio das almas. Ora, de todos os meninos da paróquia, o expoente mais em evidência, a vedete, era eu mesmo. Meu pai foi chamado à casa paroquial e lá combinaram tudo.

No dia seguinte, depois da missa e da comunhão geral das crianças, padre Tiago alteou a voz no pátio de fora, avisou que a paróquia estava em festas, um de seus jovens paroquianos recebera o chamado do Divino Mestre, entraria no seminário brevemente. Quando pronunciou meu nome, houve uma salva de palmas, talvez sincera. Eu mesmo já estava preparado para salvar o herói que recebera tão importante chamado, quando vi que o herói era eu mesmo não tive outro remédio senão vergar a cabeça humildemente diante de tantos aplausos. Logo que pude voltei correndo para casa.

Ao passar pelo botequim olhei para dentro, procurando o homem que não tinha queixo. Estava lá, num canto, tamborilando na mesa, cheio de cachaça. Sorri para ele. Mas ele nem deu importância.

Só em casa tive um momento de indecisão: afinal, ninguém me consultara. Eu queria ser coroinha para o resto da vida, coisa que nunca quis na vida foi crescer, ter barba, pelo nas pernas, ser um adulto escuro, de rosto carregado. Desejava que as coisas se eternizassem, gostava de ajudar missas, dos cânticos, das lições de órgão, amava a igreja, as cerimônias, não ia a cinemas nem a circos, a igreja era tudo para mim, amava-a inteirinha, menos o demônio da imagem de São Miguel que tinha os pés de cabrito e os olhos incandescentes.

A indecisão foi rápida. Tudo tem sido rápido comigo, principalmente os grandes momentos. Estávamos em maio, minha entrada no seminário foi marcada para depois do carnaval do ano seguinte, quando se iniciasse o ano letivo. Até lá padre Tiago me ensinaria rudimentos de latim. Papai comprou-me um livro imponente, a *Ars Latina*, primeiro livro sério que possuí, afora os catecismos da doutrina cristã.

Olguinha passou a dormir em quarto separado ao meu, nossas relações se limitaram às refeições e às preces em comum. Papai foi eleito presidente da Congregação Mariana da paróquia e representante do bairro junto à Cúria Arquidiocesana. Pendurou em nossa sala de visitas um retrato do senhor cardeal autografado, com direito a cinquenta dias de indulgência.

Mamãe só faltava botar água-benta na comida a fim de que minhas vísceras se santificassem mais rapidamente. Padre Tiago nos visitava sempre, dava conselhos sobre a pureza, a humildade, a obediência, o amor aos estudos e ao próximo. Contou-me a vida de padre Vianey — eu tinha um exemplo a seguir.

Começaram a preparar o enxoval. Padre Tiago recomendou-me seu próprio alfaiate, um italiano que até há bem pouco fazia-me as batinas. Papai foi ao Rio Comprido inteirar-se das disposições, voltou com vários folhetos, exames de dentes, radiografias, tesourinhas de unha, livros, sobrepelizes. As disposições foram cumpridas à risca, papai chegou a voltar ao seminário para dirimir importante dúvida: se os sabonetes eram em barras ou em tabletes.

Nos estudos, estava afiado. Papai tomava-me lições de português e aritmética, mamãe, os catecismos, padre Tiago já me obtivera sem muito esforço o *rosa rosae*, o *dominus, domini*, já entrava pela terceira declinação.

Pelo Natal recebi úteis presentes, ao invés de brinquedos levianos ou tolos. A *Imitação de Cristo* com a bela dedicatória de meu pai: "*Meu filho, depois da Santa Bíblia, este é o maior dos livros. Leia todos os dias de tua vida um só capítulo e serás um santo sacerdote e um homem feliz. Teu pai.*"

Li e leio ainda quase todos os dias vários capítulos e não consegui ser nem uma coisa nem outra. Mas meu pai não é culpado por isso. Ganhei ainda um pequeno missal com o ordinário das missas em latim e em português, instrumento útil, disse padre Tiago, para minha compreensão das festas litúrgicas.

O Ano-Novo encontrou-me em preparativos. Olguinha se fazia moça, andava com os guris que me chamavam de padreco e ela me odiava por causa disso. Certo dia recebeu violentíssima surra de papai, por causa de uma peça de roupa que deixara no banheiro. Foi chamada de porca, imunda, agente de satanás.

Papai não era de bater nos filhos, para chegar àquele excesso é que a falta de Olguinha devia ter sido imensurável. Procurei em meus livros de oração uma resposta para aquilo. Folheei todo o questionário da confissão. Cada mandamento da lei de Deus vinha seguido de reflexões, a fim de facilitar o exame de consciência: "Tenho procurado ser obediente aos pais? Tenho ouvido atentamente a Santa Missa? Não tenho tido conversas, pensamentos ou ações licenciosas?" (Licenciosas parecia ser nome oficial dos catecismos para as coisas feias que me faziam corar só ao ver a palavra: licenciosa.)

Não encontrei nada que tivesse relação com o fato de ter Olguinha esquecido uma peça suja de roupa no banheiro.

No carnaval daquele ano apareceu uma marcha que enfureceu meu pai:

"Eva, querida,
Quero ser o seu Adão..."

Em nome das Ligas Religiosas de Vila Isabel escreveu violenta carta ao chefe de polícia protestando contra o abuso de se meter no carnaval, uma coisa que era sagrada, que estava na Bíblia. As cópias andaram de mão em mão, de casa em casa, foi elogiada do púlpito pelo padre Tiago, mas eu fui vaiado solenemente quando, na manhã de quarta-feira, passei para ir tomar minhas cinzas pelo botequim da esquina. Havia restos de um bloco de sujos, sabiam que meu pai havia feito aquilo, a vaia explodiu lá dentro, o homem sem queixo mandou-me uma chapinha de cerveja que me pegou na orelha.

Mais uma vez me senti publicamente comprometido com a causa da Bíblia, de Adão e Eva, com tudo. A chapinha de cerveja abrira um arranhão no lóbulo, vi meu sangue na ponta do dedo que foi averiguar a ferida, eu era um mártir. Vi-me incensado num futuro próximo, meu retrato correria o mundo, o sangue vertendo da orelha, os olhos em êxtase, as mãos cruzadas sobre o peito, lábios pronunciando o nome de Jesus.

Nem me espantava de delírios assim. Achava aquilo tudo uma obrigação, eu devia ser assim, ser assado, era mau, iria para o inferno, cravaria mais um espinho na fronte do Redentor, meus pais ficariam tristes, melhor era não questionar, tocar os burros para a frente. A vida era coisa sagrada, todos tinham uma obrigação a cumprir, havia a polícia que prendia os bicheiros da rua Torres Homem, jogo de bicho era mau, havia o catecismo que ensinava os pecados e os atos de contrição, meu pai trabalhava o dia todo "para botar a comida na mesa", quando eu estava doente vinha o sujeito grave que me enfiava o termômetro no sovaco e ficava olhando o relógio de ouro, contando os minutos, com fleuma, como se eu fosse estourar se tudo não estivesse certo. Tudo me falava de um mundo em que nada se tinha a duvidar. Depois foi que me estragaram, mas isso já é outra coisa.

No sábado, após o dia de cinzas, fizeram-me acordar cedinho. Fui com papai até a igreja. Padre Tiago ouviu-me em confissão e deu-me comunhão fora da missa, eu deveria estar bem cedo no seminário.

Vontade de chorar então. Vi a imensa igreja, ainda em construção, os tijolos à mostra, as folhas de zinco. Tudo vazio. Ali eu descobrira porção de coisas importantes. Ali ouvira falar em eternidade, em morte, em pecado, em demônio. Ali a minha infância, ali me tornara filho do padre. Todas as recordações ali.

Olhei para o demônio, seus dentes recurvos tremiam de medo ante a espada de São Miguel Arcanjo. Nunca mais aquele demônio me atormentaria em sonhos, lá no seminário ele não poderia entrar, tinha água-benta por todos os lados, crucifixos em todas as paredes.

Eu me libertava dele, mais, eu o vencia. Olhei-o frontalmente, coisa que até então nunca fizera. Descobri que era de terracota ordinária, pintada bizarramente, como as máscaras de carnaval. Se tivesse a mesma coragem anos antes, não teria me atormentado tanto. Mal tinha coragem de olhar para São Miguel, ao passar por sua imagem saudava-o mentalmente, sem olhar. Sabia que ele existia, o demônio, sob seus pés, e imaginava-o mais terrível do que era.

Sem perceber, talvez tenha repetido um pouco do Cura d'Ars: depois de tanta luta, parecia que nos estimávamos, os inimigos também deixam saudades.

Padre Tiago veio até em casa, tomou café conosco, deu-me as últimas instruções. Na hora em que lhe tomei a benção, meteu a mão no bolso da batina, puxou uma medalhinha de Nossa Senhora de Lourdes:

— Meu filho, não se esqueça nunca deste pobre padre. Reze sempre por ele, pela salvação de sua pobre alma. E todos os dias, quando fizer sua oração da noite, peça a Deus que me conceda a graça de ver com vida a inauguração de minha igreja. Peça a Nossa Senhora por mim!

Padre Tiago morreu há alguns anos. Viu com vida a sua igreja, depois de morto foi exposto na nave central, sob o grande lustre que lhe deu tanto trabalho adquirir e fazer subir até o teto. Mas continuo a rezar por ele todas as noites, mesmo naquelas em que esqueço de rezar por mim mesmo.

Papai tomou um carro, as malas foram atrás. O motorista arrumou-as com cuidado, e quando papai disse, com orgulho, "ele vai ser padre!", o homem fez várias caras ao mesmo tempo. Primeiro zombou de mim, depois teve pena. Mas quando falou, foi neutro:

— Grande carreira! Grande vida!

Ao passarmos pela Matriz, deixamos padre Tiago. Minha mãe persignou-se, eu me persignei. O motorista não teve outro jeito senão tirar o boné da cabeça e fazer um sinal confuso em cima do rosto que mal lembrava o sinal da cruz. Disse que era respeitador, tinha em casa um São Jorge em cima do cavalo, todo dia 23 de abril acendia-lhe velas.

Passamos por outra igreja, a de São Francisco Xavier, mas íamos distraídos, ninguém se persignou. Só eu notei a igreja — eu lhes sentia o cheiro —, no dia seguinte, na primeira confissão de seminarista, foi dos pecados veniais de que me penitenciei com ave-marias.

Logo chegamos ao velho prédio do Rio Comprido. Prédio histórico, meu pai explicou-me que as palmeiras eram todas do Patrimônio Nacional, naquele local haviam morado membros da família imperial, ali se fundara o primeiro colégio do Rio de Janeiro, pelo padre Nóbrega.

As palmeiras eram imponentes, mais altas que todos os prédios da vizinhança. Minha mãe achou o ar saudável, descia a brisa do Sumaré. Lá em cima o Cristo Redentor abria os braços, como que nos recebendo — foi papai quem reparou.

O porteiro recebeu as malas, um padre ainda moço veio falar com papai. Passou a mão por minha cabeça, procurou ser simpático e o era realmente. Meus pais desmancharam-se em mesuras, apologias às minhas virtudes. O padre confirmava, risonho, dizendo que pelas árvores conheciam-se os frutos.

Um outro guri despedia-se da mãe, pareciam pobres, a mulher vestia-se de preto, viúva talvez. O menino tinha a cabeça raspada, feridas pelos joelhos, agarrava-se às saias da mãe com desespero. Nós o olhamos escandalizados.

Serviu, no entanto, para dar compostura à minha despedida. Beijaram-me na testa com dignidade, minha mãe puxou um lenço e foi para o canto chorar discretamente, "de alegria", disse para o padre, alegria em poder dar um filho a Deus.

Papai fez ar solene e ridículo ao mesmo tempo. Ameaçou um discurso, para que o padre o ouvisse. Mas o padre recebia outra família que chegava com um guri gorducho, de óculos. Papai soltou a frase que preparara pelo caminho:

— Este é o dia mais feliz da minha vida!

Dando-me a mão para que a beijasse:

— Vai, meu filho, vai com Deus. Que Nossa Senhora te guarde e te proteja!

Fui.

Levaram-me primeiramente à capela, saudar o dono da casa. Um menino comportado quando entra numa casa a primeira coisa que faz é cumprimentar o dono. Foi isso que me ensinaram e me mandaram fazer.

No primeiro momento, odiei a capela. Branca, bonita, muito diversa da minha igreja. Não tinha um demônio sequer, nada que falasse de tão funesto personagem, só coisas boas e bonitas. Vitrais coloridos que me deslumbraram — a nossa Matriz de Vila Isabel não tinha nenhum, padre Tiago não iniciara ainda a Cruzada dos Vitrais. No principal, enorme, em forma de ogiva, um São José com o Menino Jesus ao colo, uma casinha ao longe, pombas e lírios ao fundo. Um de cada lado, lá estavam dois medalhões com Nosso Senhor e Nossa Senhora. Ao longo da nave, vinham santos complicados, só depois fui aprender-lhes o nome, a história e as virtudes.

Foi olhando os santos que cometi novo pecado, logo de saída. Esqueci de dizer as orações próprias ao local, não fiz a saudação a Jesus Sacramentado. Saí da capela triste, odiava-a. Só mais tarde aprendi a amá-la, mas aí já foi um pouco tarde.

Dormitório. Coisas enormes, pátios imensos, eu estava tonto. Camas de ferro branco, iguais às do hospital onde mamãe operou a vesícula. Quando fui visitá-la tive horror àquela cama que parecia fria, própria para defuntos ou quase isso. Tinha uma agora pela frente, para todas as minhas noites.

Em cima dela o porteiro colocara as malas. E diante delas, onde a mão hábil de papai espalhara etiquetas explicativas, "roupas", "batinas", "material de limpeza", "livros", dei-me conta da situação. Desabaram sobre mim as obrigações que começavam. Lembrei-me de todas as instruções que me haviam dado. Primeiro tirei do bolso o crucifixo pendurado na fita azul, coloquei-o na cabeceira da cama. Fora mamãe quem o recomendara. Depois rezei, em pé mesmo, para não chamar atenção, a oração a São Luiz Gonzaga, padroeiro da juventude e protetor especial da castidade —, recomendação de papai.

Finalmente obedeci ao porteiro e abri as malas. Apareceu um camarada para me ajudar: pequenino, parecia um brinquedo vestido de batina.

— Vou ficar assim também? — perguntei.

— Vai. Aqui todo mundo fica assim. Gosta?

Terceiro pecado do dia:

— Gosto.

Ensinou-me o lugar das coisas, a rouparia, os lavatórios. Perguntou-me o nome, o dele era Geraldo, de Pernambuco, número 51. O meu era 28. Rimos, como se isso fosse engraçado.

Um padre passou ao longe.

— Esse é o padre-prefeito. É quem toma conta de nós, os pequenos.

O padre aproximou-se, deu-me a benção. Tinha ar desconfiado, arisco, mais nada da untuosidade macia de padre Tiago. Não fui com a cara dele, nem ele com a minha. Mas isso não é nada, pensei, ele não sabe que sou um santo, quando souber de todas as minhas virtudes vai tremer de devoção a meus pés.

Por causa de pensamento tão cretino descobri que odiava o padre — mais um pecado, pecava muito no seminário, onde iria parar com tanto pecado! Amanhã, depois da confissão, seria expulso, meus pais morreriam de vergonha!

Recreio. O Geraldo de Pernambuco, número 51, lançou-se às feras:

— Este aqui trouxe brilhantina!

Mal sinal trazer brilhantina, vaidade das vaidades, coisa fútil, desnecessária. Reparei que todos traziam o cabelo cortado à escovinha, a brilhantina seria inútil, o jeito era livrar-me dela.

Perguntaram-me o nome. Papai havia feito preleções sobre a forma de me comportar: eu devia ser delicado, atencioso, cortês, completo, útil, todos os adjetivos do lado de cá, ter moral e ser santo era facílimo, bastava seguir os adjetivos do lado de cá.

Fui cortês, polido, completo:

— Mateus Maria Vianey de Lima, número 28.

— Olha o 28!

— O 28 é de pai ou da mãe?

— 28 é meu número...

— Ah, pensamos que era nome de família...

Caíra na primeira gafe. Há quinhentos e tantos anos, naquele colégio fundado pelo jesuíta Nóbrega, quase todo mundo caía naquela armadilha ingênua. Mas eu fiquei furioso, via meu prestígio de santidade escorrer-me dos dedos, como água. Entre os meninos da paróquia, eu era apontado, um paradigma, como os verbos, amar para a primeira conjugação, vender para a segunda.

Ali nada disso contava, não me levavam a sério, quase saí correndo, talvez meu pai ainda estivesse na portaria. Mas isso seria violar o que me recomendaram. Meu pai e padre Tiago eram oniscientes, haviam previsto a possibilidade de encontrar maus elementos, lobos vestidos com peles de cordeiro. Eu deveria perdoar e esquecer, fazia parte de minhas obrigações, obedecer aos mestres, ser pio na capela... perdoar, esquecer.

Perdoei.

Refeitório. Jantava-se cedo no seminário, quatro e meia da tarde, o sol batendo obliquamente nas mesas de mármore branco, lá em casa àquela hora fazíamos lanche. O arroz me pareceu mal-lavado, tinha gosto de saco. Sobremesa, banana. Banana enorme, minha mãe dizia que não era própria no jantar, atrapalhava a digestão, minha santa Mãe estava errada, os padres sabiam tudo, banana não fazia mal a ninguém, escreveria na primeira carta: "banana é bom no jantar" e todos lá em casa ficariam maravilhados com meu progresso, começaria meu papel de salvação pela própria família, transformaria o mundo pelas bananas, depois ensinariam outras coisas sábias, em latim.

— Como é banana em latim? — perguntei a um colega que me pareceu inteligente porque usava óculos.

O camarada riu idiotamente, não sabia, chegou a ameaçar um "banana, *bananae*", mas um outro disse que não era assim, na mesa ninguém sabia, todos do segundo ano ainda, só havia um sujeito do terceiro que também não sabia, mas já sabia embromar:

— Na Roma antiga não havia bananas. Logo, os latinos não tinham necessidade de usar a palavra…

Não perguntei mais nada para não parecer importante, mas a explicação não me satisfez. Impossível que não houvesse banana em latim. Se amanhã eu escrevesse para o papa e tivesse necessidade de falar em banana, como é que eu faria? Sabia que ao papa só se escreve em latim, ele só fala em latim, só pensa em latim. Como o papa poderia saber da existência das bananas? Vamos supor que, amanhã ou depois, meus méritos de santidade me facultassem transformar uma baita banana-d'água em ouro. Seria ótimo para a Igreja, ela ficaria mais rica ainda, construiria catedrais mais suntuosas, os cardeais usariam túnicas mais deslumbrantes. Mas havia uma dúvida nisso tudo: como é que comunicariam à Sua Santidade minha própria santidade? Teriam de se referir à banana, não poderiam dizer que transformara um castiçal ou uma vela em ouro, seria inverdade e pecado.

Achei mais seguro e prático não fazer milagres por ora, adiar a glória. Esperar um pouco, teria tempo depois. Até o último instante se pode duvidar do milagre. Mesmo depois de morto. Lázaro está aí. Mas o milagre é eterno, acontece a qualquer tempo, quando menos se espera.

Comi minha banana e o sobrenatural entrou em mim, sacramentando-me.

Capítulo 2

O circunciso*

---

* Mantivemos a repetição de título deixada pelo autor no original [NE].

A última folha de papel empurrou o tinteiro para a beira da mesa, padre Mateus fez um gesto para impedir a queda, tarde, a tinta virou, pegajosa, pingos azuis, a poça no chão aumentando, aumentando. Na fresta do assoalho encontrou o leito natural, empoçou de vez, depois correu, macia, mirrando aos poucos.

"Onde tenho mata-borrão?", padre Mateus abria gavetas, papéis, diplomas, recibos, "um pano serve", no canto do escritório havia panos velhos, sobra de bandeiras que enfeitaram o adro no Natal.

Escolheu o pano, seda esfarrapada, azul-escura, quase igual à tinta. Ia se agachar para enxugar a poça, rio azul que não mais corria, estagnado no chão, inchado na fresta, coagulando. Resolveu primeiro limpar a mesa, a quina da escrivaninha estava suja, preguiçosamente uma última gota se formava, para cair depois.

Caiu. Duro, pulsos brancos se sobressaíram da manga escura da batina, as mãos crispadas, o pano azul levado à pressa até o rosto, no derradeiro momento lúcido, para junto dos olhos, olhos que pareciam cair das órbitas, pingar feito gotas de tinta, angustiados, a escorrer pelo chão, como lágrimas.

Ismael ouviu o barulho, da cozinha. O único olho virou para cima, sentiu o barulho no teto, além do teto o escritório, devia ser padre Mateus. O olho baixou outra vez, enxugou rapidamente as mãos, sentia-se nervoso, quem o conhecesse podia notar, a escura pálpebra tremia imperceptivelmente fechando o outro olho, como se o olho sepultado para sempre também quisesse ver e participar.

Segunda vez em dez meses que padre Mateus caía assim. Da primeira estava sozinho, Ismael cortara um duro para colocar o pesado corpo na cama.

O sol fugia pela janela, acompanhando o dia que escorria como um rio vagaroso pelos picos da Tijuca. Ismael abriu o escritório a tempo de ver o triângulo de luz marcando o peitoril de mármore da janela. O corpo de Mateus jazia no escuro, massa informe, a batina prata, sudário envolvendo um cadáver, pálido rosto, o pano azul. Viu o tinteiro emborcado na quina da mesa, e não sabe por que, antes de socorrer padre Mateus socorreu o tinteiro, levantando-o.

Da boca escorria espuma, salivosa, cor igual ao branco dos olhos virados, como se quisessem ver o cérebro. Os músculos do pescoço endurecidos, cordas salientes, azuladas. "Vou chamar padre Lucas para me ajudar."

Padre Lucão não ajudava nada, ficou olhando o coadjutor no chão, o empregado a segurá-lo pelas axilas, gemer para erguê-lo, a pálpebra escura imóvel, única coisa imóvel naquele rosto que se contorcia no esforço de arrastar o mole corpo pelo chão, virar na porta. A perna do padre prendeu-se, a única ajuda de Lucão foi desprender a perna, e logo Ismael continuou a arrastar a massa informe pelo corredor, virar no quarto. "Era o que me faltava."

Padre Lucas estava de mau humor, há vinte anos andava de mau humor, desde que perdera três dedos da mão e passara a coxear da perna direita. Vivera a implorar um auxiliar, anos e anos dera conta do trabalho sozinho, a paróquia era grande antes do último desmembramento, atingia o Alto da Boa Vista, fazia limites com a Gávea quase, e do outro lado se esticava pela cidade, tendo como eixo a rua Conde de Bonfim, até quase a praça Saens Peña. Só recentemente, já no fim da vida, conseguira não só o desmembramento, como o ansiado coadjutor. Mas o desmembramento atingira-o demasiadamente, perdeu a melhor porção, ficou praticamente reduzido à usina, à fábrica de fumo, o Hospital da Ordem Terceira, o imenso internato de São José, morria na rua Uruguai, onde no terreno da antiga embaixada da Rússia, dizia-se, seria erguida uma basílica.

E o coadjutor, aquilo. Ninguém o queria, andara de vigário em vigário, capelania em capelania, só mesmo a necessidade fizera-o aceitar aquele padre de ar distante, alheio ainda por cima com ataques, já a segunda vez em poucos meses que caía feio, como um cão raivoso.

Lucão não apreciava cenas assim. Apesar da idade, dos quase trinta anos de ofício, tinha medo de morrer, de ver defuntos, doentes desenganados, loucos, bolas, Mateus podia morrer num desses ataques, maçada, ora se era.

Foi até o quarto do coadjutor, Ismael tirava-lhe os sapatos, afrouxava-lhe o colarinho.

— Chamo um médico?

— Não precisa. Isso é assim mesmo. Daqui a pouco está bom.

Ismael desceu, silencioso, a pálpebra imóvel um besouro escuro pousado no olho.

Padre Lucas odiou Mateus estendido na cama, inerte, espesso como morto recente, não fossem a cara retorcida e a espuma que lhe fervia nos cantos da boca — e dir-se-ia um cadáver de pés pontiagudos, a meia preta apontando o teto, inexorável. "Dia ruim!"

Já a manhã lhe correra má. A questão com o português que lhe vendia vinhos. Precisava fazer reservas, os preços iam subir, nem sempre havia vinho apropriado para a missa, o fornecedor sabia disso, explorava, queria cobrar um preço intermediário, mais baixo que a nova tarifa, maior que a antiga, era um roubo.

Felizmente Mateus gastava pouco, não o tomava fora da missa, e muito pouco durante, pouquíssimo, "vê-se cada uma", Lucas nunca tinha visto aquilo, a colherinha que servia para medir a gota d'água Mateus usava para medir o vinho, uma gota só, talvez fosse até antilitúrgico, o importante era o vinho, a matéria do sacramento, pão e vinho, a água era símbolo, sim, violava a liturgia.

Depois do fornecedor, veio a velha das missas, há três anos apoquentava-lhe o juízo por causa do finado, queria missas todos os dias, o finado aparecia-lhe comumente, mandava recados, metia-se na gerência dos negócios paroquiais, aprovava eleições de diretoria das irmandades, não fosse o veio certo, muito bem-pago, e Lucão já a teria enxotado da igreja.

Pior do dia o ataque de padre Mateus. Não deviam ordenar doentes assim, ao tempo dele diziam que os bispos não aceitavam epiléticos para a ordenação, havia raízes antigas nesse repúdio, doença maldita, na antiguidade o epilético era possuído pelo demônio, hoje a ciência dizia o contrário, mas padre Lucas odiava a ciência, servia para desmoralizar a fé mas para curar a perna coxa, ah! Só mesmo um milagre, a cara do ortopedista nunca lhe saíra da cabeça, "padre, o senhor vai ficar aleijado, só na ressurreição dos mortos, se houver, o osso voltará à posição normal".

Padre Lucas andava no corredor, de um lado para o outro. O quarto do padre Mateus aberto, duas vezes tentou entrar, olhava o corpo estendido na cama, voltava atrás. Deu com a porta do escritório, foi até a escrivaninha, viu o tinteiro destampado, a poça de tinta no chão, o pano azul ao lado. "Um poeta!"

Escrever qualquer coisa era ser poeta em sua opinião, atributo pejorativo, quase ofensa. Pegou com desprezo as folhas que Mateus escrevia, mais que desprezo, superioridade. Nunca tivera daquelas fraquezas, só sentava em mesas para comer ou registrar batismos, casamentos, o serviço de Deus e o dele — o mais era complicar desnecessariamente a vida, criar problemas inúteis, o certo era meter as mãos na massa e trabalhar, organizar boas campanhas para as obras da paróquia, ensinar o catecismo sem muitos floreados, dizer clara e frequentemente que isso era pecado, aquilo crime, o inferno estava lá embaixo esperando os maus, bastava.

Tentou ler, mas tinha de colocar óculos, teve preguiça. Recolheu a papelada, os papéis se enfeixaram nos dois únicos dedos da mão esquerda, como mandíbulas engasgaram o papel, estrangulando-o. "Perdendo tempo à toa, e eu com tanto trabalho!"

A noite caíra de vez, a janela do escritório velou, coberta por crepe negro. Lucão fechou a janela, teve de se inclinar no peitoril para apanhar uma das bandas que se prendera à parede pelo lado de fora. Inclinado, viu lá embaixo as duas mulheres.

Ridículas vistas assim, o jato da pequena lâmpada que iluminava os degraus da porta da casa paroquial batia-lhes nos crânios tornando-os felpudos, como vasos sustentados grotescamente em pilastras gorduchas. Padre Lucas não gostava de mulheres, por baixo daqueles vasos felpudos estava a raça maldita, a que botou inimizade entre Deus e o homem, por causa dela os males, as doenças, a morte.

Gritou lá de cima:

— Desejam alguma coisa?

— Padre Mateus está?

Pela voz reconheceu: duas moças da Congregação Mariana, devoções recentes, encantadas com padre Mateus.

— Padre Mateus saiu. Só volta amanhã. Alguma coisa?

Viu o embrulho pardo, quadrado, que uma delas levantou um pouco e onde a luz bateu forte, como num lago.

— Já vai.

Fechou a janela. Olhou o escritório vazio, a poça de tinta, os livros de padre Mateus em silêncio, reconheceu os livros no embrulho pardo lá de baixo, "padre mulherengo, não gosto disso não gosto".

Berrou para que Ismael atendesse. Logo o empregado subiu com o embrulho. Padre Lucas abriu-o. Livros mesmo. Folheou um deles, bobagens e bobagens, ninguém se converte com livros, nunca tivera dúvidas da fé, se sua virtude era ou não forte dependia unicamente dele mesmo, não de livros, não serviam para nada, só para complicar ideias. Que que tinha Mateus de emprestar livros às moças? Por isso elas o disputavam, e não só as moças, as crianças também, em dez meses na paróquia abocanhara os melhores pedaços, sorrateiramente minara-lhe o rebanho, deixara para ele, que trabalhara como um galego durante anos e anos, os escolhos, as velhas rixentas, as beatas ferozes, os malucos que frequentam sacristias, "uma maçada. Isso não vai bem, vou tomar providências!".

Foi olhar mais uma vez o corpo de padre Mateus inerte na cama. Já voltava a si, a cara se recompunha aos poucos, porção de cera que se acomoda à forma original, os traços apareciam, a espuma da boca secara, visgo de açúcar em torno dos lábios, os olhos voltavam ao meio das órbitas, parados ainda, fixos, distantes, obscenamente frios, como os dos peixes.

Diante daquilo, Lucas perdeu qualquer dúvida em protelar a ida ao palácio. Imaginou sem agrado a cara do arcebispo ao receber sua queixa, "antes só que mal-acompanhado", Lucas pensava através de frases feitas, das que só têm um sentido, por isso era bem-compreendido. Iria amanhã mesmo, que lhe arranjassem outro padre, com aquele não ficaria mais.

Jogou os dois livros em cima da pequena mesa, único móvel do quarto de padre Mateus, a excetuar a cama. Hesitou com a papelada presa nos ganchos da sua mão esquerda, "deixo ou não deixo", resolveu não deixar, leria a papelada, em meio a tantas palavras era possível que encontrasse um descuido, aproveitaria o descuido, minaria qualquer bom conceito que acaso fizessem de Mateus.

Desceu as escadas reclamando jantar de Ismael, a perna torta escorregando como um toco pelos degraus de madeira. A bengala de osso.

— Padre Mateus melhorou?
— Melhorou.
— Levo janta para ele?
— Não precisa. Daqui a pouco ele desce, tem as duas pernas para isso.

Sentiu-se cruel.

— Mais tarde vemos isso...

Encaminhou-se para a pequena sala de refeições, a mesa de madeira escura, cadeiras escuras, armário escuro, sem espelhos, sem mármores, paredes foscas, já encardidas pelos vapores da cozinha próxima. Apalpou-se à altura da barriga, onde, do lado de fora da batina, trazia o bolso dos óculos. Olhou para a mesa posta, os talheres embaciados não brilhavam, a luz triste pendente do teto pelo fio cheio de moscas derramava uma claridade amarelada e neutra, nada ali tinha reflexos. O lugar de Mateus vazio, a cadeira afastada para o canto. Muitos anos comera só naquela mesma mesa. Sentia-se insatisfeito consigo, a mesa inútil, os almoços eram alegres, o sol batendo na toalha, a janta difícil. Lucas não gostava das noites, temia-as, tinha o pressentimento de morrer à noite, preferia as manhãs, sol batendo na imensa nave da igreja, missas, povo chegando, compromissos que afastavam o tédio, as primeiras refeições, a sesta do início da tarde. À noite, a tristeza invadia silenciosamente a casa, a sua vida, tornando-a vazia, acentuando-lhe a solidão e o medo. Os outros iam para suas casas, luzes se acendiam, famílias se reuniam em torno das mesas após o dia de trabalho, havia os cinemas, os rádios, o esposo chegava e encontrava a mulher à espera e faziam o amor lícito a que ele se proibira, e havia os amores ilícitos que eram pecado, esses não contavam, não os queria, mas a noite trazia alegrias, pequeninos encantos para os simples, luxos, para os ricos, e ele ficava só, já velho e só no meio da noite, casa vazia e triste, a igreja cheia de sombras, dentro dele o gosto de escombros inadiáveis. Sentia-se miserável, como um cão sem olhos.

Ismael recolhia-se cedo, servia o jantar com cara lúgubre, o único olho tomava reflexos monstruosos, único reflexo daquela sala lúgubre, irmão gêmeo da fraca lâmpada que pendia do teto, imóvel, fria, Mateus já falara em trocá-la por outra mais forte, Lucão dera contra, desperdício inútil, para comer bastava. Reconhecia agora, luz triste, o olho de Ismael ficava monstruoso, ele mesmo sentia-se mais melancólico que o habitual —, culpa da lâmpada fraca, embaciada, escorrendo sem brilho pelo mobiliário que viera dos tempos do seu predecessor, mobília já secular, escura como as arvores centenárias.

Com a luz assim não poderia ler a papelada. Inutilmente botou os óculos, folheou aqui e ali, caligrafia complicada, entendeu duas ou três frases, procurou seu nome em meio àquilo tudo, talvez o coadjutor recalcado o usasse como objeto de vingança, esses poetas são assim, desforram-se covardemente no papel, apunhalando pelas costas. "Leio depois."

Ismael metia a concha na sopeira e enchia seu prato com a sopa de milho, velho hábito também, de fácil digestão, a pasta amarelada ficava repugnante à luz da lâmpada, mesmo assim esvaziou o prato. Limpou os beiços no canto da toalha, seu guardanapo ficava intacto, enrolado como um canudo dentro da argola de prata, presente da Liga Jesus — Maria —, José por ocasião de suas bodas de prata sacerdotais. Em cima do armário, na prateleira onde há muito houvera uma pedra de mármore e um espelho ao fundo, repousavam o prato e o copo de Mateus, lá estava a argola que Lucas detestava. Padre Mateus andara em estações de águas, num desses lugares mundanos aonde mulheres de virtude discutível costumam ir para arranjar amantes e provocar pecados.

Padre Mateus economizou dinheiro sob alegação de tratamento de fígado, meteu-se um mês nos hotéis caros, nos parques, voltou nostálgico, a argola de madeira envernizada nunca mais saiu de sua frente às refeições. "Lembrança de Caxambu." As letras verdes se destacam das flores azuis, a paisagem em miniatura ao longe. Ficava rodando a argola entre os dedos, olhos perdidos, sob pretexto de esperar esfriar a sopa.

Silenciosamente, Ismael ia deixando pratos na mesa. Feijão do almoço apenas requentado, a terrina de arroz, solto, como padre Mateus gostava, um devasso, Lucas não tinha luxos, tanto fazia o arroz solto ou empapado, era um padre, abjurara os grandes e pequenos prazeres do mundo, que lhe importavam arroz solto ou em papa, luxo assim só mesmo a mocidade feminil e gozadora que contamina tudo, até mesmos os padres.

A carne assada chegou sem o pedaço da ponta, o facão da cozinha já havia tirado a porção que logo mais subiria para Mateus. Ismael evitou enfrentar com o único olho a cara de Lucas, quando o vigário ficava doente Ismael não tinha cuidados assim, primeiro servia o outro, depois, o que sobrasse, e como sobrasse, subiria para ele. O empregado passara-se de armas e bagagens para o lado do outro, desforrava vinte anos de serviço humilde e solitário, vingava duas ou três explosões de gênio que ele não pudera refrear. E Mateus retribuía, dava mão forte ao empregado nas pequenas disputas domésticas. O dia do troco, por exemplo. Ismael perdera cinquenta mil réis na rua, perdera ou gastara por aí. Chegou em casa e disse que o açougueiro havia se enganado no troco. Lucas dera-se ao trabalho de colocar faixa, barrete e guarda-chuva — pois chovia ainda por cima —, descera o trecho escorregadio da Conde de Bonfim, fez escândalo no açougue Nossa Senhora das Graças, o português ficou tão ofendido que mudou o nome do estabelecimento, virou açougue Sete-Flechas, deu de frequentar macumbas — e tudo mexida de Ismael, depois soube a verdade, quis chamá-lo à responsabilidade, Mateus se meteu, defendeu-o, à custa de traições assim ganhava arroz solto, os melhores pedaços dos assados, as sobremesas de seu agrado. "Mais uma cruz. Não há de ser nada. Durará pouco."

Lucas viu-se novamente sozinho, Mateus era agora questão de semanas, até a Páscoa precisaria de auxiliar, depois o mandaria embora, o arcebispo atenderia suas razões, um padre doente, podendo morrer a qualquer hora, com hábitos burgueses e afeminados, um mundano, não, era perigoso, antes só, depois da Páscoa daria conta do trabalho sozinho outra vez, e quem sabe? O arcebispo talvez se condoesse de sua idade, de sua perna aleijada, enviasse outro padre, mas sério, menos frágil, que não perdesse tempo com livros, nem tivesse ataques que davam à sua casa aspecto de enfermaria, de lar marcado para enterros, ambulâncias, necrotérios, essas coisas davam azar, doença puxa doença, morte puxa morte.

A comida descia apressada, após se agitar sem sabor entre as bochechas de Lucas. Bebeu o gole de vinho, único luxo, única brecha na sua frugalidade de vida e de comer —, um asceta, era a fama que criara em tantos anos de sacerdócio. Outro dia, almoçando no Convento da Ajuda, por ocasião do centenário de uma das reclusas, viu seu ascetismo gabado de mesa em mesa, desde a principal, onde se sentara o cardeal, até a última, onde estavam as jovens noviças da Ordem. — Um asceta.

Mateus jamais seria asceta. Na hora de comer, comia. Com calma, escolhendo os pedaços, deixando a parte melhor para o fim, evitando misturas de carne com peixe, nada de contrariedades à hora das refeições, nada de discussões, fazia da mesa um rito, um gozador. Com facilidade atendia a convites para jantar fora, em casa de paroquianos que lhe preparavam banquetes, na suposição de que todo clérigo é glutão. Ele glutão! Em vinte e tantos anos de paróquia só uma vez comera fora de casa, levara a extrema-unção a um moribundo, o temporal caiu forte, ficou sem condução, os bondes não trafegavam, houve enchentes, a cidade ficou sem luz, o doente morreu, comeu sim, modesta ceia, à luz de velas que iluminavam o morto horrendo, inchando, a dois passos de si.

Mateus não. Praticamente comia fora duas a três vezes por semana, na casa do gerente do cinema Metro da praça Saens Peña, no internato São José, entre jovens alegres e ruidosos, de apetites certos, no palacete dos Fontes, industriais de brinquedos, na casa da viúva Santos, cujas filhas ainda há pouco vieram devolver os livros emprestados.

Botava batina nova, a faixa de seda, o colarinho impecavelmente branco, de linho. Penteava-se com vaselinas, a barba escanhoada, até um pouco de perfume, discreto, uma moça a se preparar para o baile. De seu canto, lendo o breviário, Lucão olhava os preparativos, conferia o trato, na casa do gerente do Metro fora de barrete, na casa da viúva Santos ia sempre sem barrete, cabeça nua, como um rapaz qualquer.

Voltava tarde, quase lá pela meia-noite. Um dia trouxe o maço de cigarros, dali em diante começou a fumar. Muitos padres fumavam, até o cardeal fumava grossos charutos, por causa da garganta diziam, mas por causa da garganta ou não o cardeal fumava, outros padres de virtude certa fumavam. Mas em Mateus o fumo era detalhe a configurar o todo duvidoso. Um vício afinal de contas, até o cardeal haveria de concordar em que era vício, dos pequenos, insignificante talvez, mas vício, desses que não chegam a ser pecado mas habituam a carne a gozos inúteis, um dia ela desperta e exige gozos maiores e certos, daí o perigo, um asceta não fumaria. O mais grave; a expressão alheia que Mateus ficava, após o almoço, do outro lado da mesa, degustando o cigarro, olhando as espirais azuladas que lhe saíam da boca, como vômito perfumado e limpo. Ismael retirava a mesa, certa feita deixou cair a colher suja de feijão em cima de Mateus, nem reclamou, sorriu, distante, como se o cigarro o embriagasse feito ópio, levando-o para regiões distantes.

— Vai querer café?

O olho de Ismael olhava duro Lucas, a intimá-lo a dizer que não.

— Quero.

Mais uma refeição, atendera mais uma vez à necessidade de se alimentar. Não fosse o desafio do olhar de Ismael e dispensava o café. Pediu de pirraça, a vida dos dois, vinte anos reunidos sob o mesmo teto, uma luta em que um café a mais ou a menos tinha sabores especiais e rendia dias silenciosos e complacente superioridade de um sobre o outro.

Depois do café, Mateus puxava do maço e se entregava ao fumo, consciente de sua paz, de seu prazer. Lucas reparava a cara idiota, "todo homem quando goza fica com cara de idiota". Bem diversa da cara contorcida que vira lá em cima, olhos pesquisando os subterrâneos do cérebro, as veias inchadas, tripas de galinha cheias de fel, a mão em gancho, revirada, garra de rapina. Mas aquela mão de rapina se amaciava ao alisar o cigarro, acariciar o corpo branco de papel, acertar o fumo nas pontas, segurando-o com cuidado, como se fosse objeto frágil e precioso, que dava prazer.

Um dia Lucão apanhou o maço esquecido num canto, tentou o prazer, mas a mão aleijada não tinha jeito de segurar o cilindro de fumo, babou a ponta, a fumaça quase o sufocou, à segunda tragada jogou-o fora. Jamais esqueceu e jamais perdoou o olhar solitário de Ismael, escondido num canto, acompanhando a operação. Naquele dia Lucas enfrentou o olhar de Ismael. Ismael, com o olho que lhe sobrava, jamais olhava a mão mutilada e Lucas, os dois dedos vermelhos que saíam como garras enormes de uma gengiva esburacada, onde nós de dedos pretéritos inchavam a carne, dentes que queriam nascer.

Mateus não era culpado por nada disso. Mas não tinha pálpebra caída sobre o olho, nem mão sem dedos nem perna manca, sua normalidade caiu sobre os dois como um espelho diante de um bêbado. Criou partidos. E Ismael, mais orgulhoso, menos comprometido, mudou-se de ares, feria silenciosamente um Deus não pela quantidade de imenso que dava a outro, mas pela qualidade.

— Vou subir com a janta do padre Mateus.

— Espere um pouco. Ele talvez ainda não possa comer. Vou ver primeiro, depois aviso.

Antes de subir, passou pela sacristia, verificou a tranca das portas, o trinco das janelas, deu uma espiada na igreja, a nave central afogada na treva, silenciosa, imenso intestino de uma baleia. Dos lados do altar-mor a chama vermelha da lâmpada votiva fazia dançar sombras que escorregavam pelos mármores, bruxas.

Ismael já preparara os paramentos para o dia seguinte, lá estavam o círculo rendado da alva, o cíngulo dobrado em forma de M, os penachos caindo pela mesa, o cálice coberto, o missal ao lado. Perfeito. No seu amor à justiça, Lucas não podia querer mal a Ismael. Quem, senão ele, teria tanto zelo, tanto jeito para pequeninos detalhes? Sentiu-se meigo e frágil gostando de Ismael apesar de tudo, do olho fechado também, como esposo de um casal sem filhos, sem alegrias, que apesar de tudo não pode detestar a companheira.

Ajoelhou-se no genuflexório atrás do altar. Deu graças pela refeição, aproveitou estar ali e rezou a oração da noite, evitava descer e subir outra vez, a perna um toco batendo pelos degraus de madeira, Mateus, do quarto gozando seu aleijão, "Lá vem o diabo manco".

Tinha medo de morrer à noite. A oração noturna era mais sincera e longa que a oração da manhã, apressada, distraída. Concentrava-se, rezava o *De profundis*, pedia a graça de ver com vida o sol do dia seguinte, temia a morte que, como ladrão, não se faz anunciar e prefere as noites escuras para atacar. Persignou-se com água-benta, já em pé, evitando um bocejo.

Então subiu.

Abriu a porta do escritório. A noite caíra, breve Ismael chamaria para o jantar. Já lavara o chão, a poça de tinta não deixara vestígios. No entanto, ele sabia, na véspera caíra ali, de borco, porco esfolado, no matadouro.

A janela dava para a noite, algumas luzes se acendiam pelas casas espalhadas ao longo do morro que sobe para a Tijuca. Lembrava-se do primeiro ataque, em tempos de seminário ainda. Andara na canoa do açude, um colega remava, ele nada tinha a fazer, deitou-se de bruços no fundo do barco, via com prazer a água deslizando sob seu corpo, parecia que ele é quem pousava na água, como um cisne. Na manhã seguinte, em meio à missa, pouco depois da elevação, sentiu de repente uma coisa doce dentro de si. Necessidade de olhar para o lado, não queria olhar, mas o olho foi rodando, rodando, desgovernado. Usou da mão para impedir que eles saíssem das órbitas. Sentiu os dedos penetrarem, moles, dentro do imenso buraco em que se transformaram os olhos, desespero de homens que caem e cujos dedos procuram buracos ao longo da parede, para se segurarem com as unhas.

Acordou no dormitório. Rostos em círculo, coroa de caras apreensivas, assustadas. O padre-prefeito mais próximo, a única que identificou. Ouviu a distância*, parecia que falavam de um morto:

— Já está se mexendo.

Vieram os exames, o pai tomou aquilo como provação, a mãe empenhou joias para pagar promessas e tratamentos. Exame de fundo de olho, o jato de luz, estilete que penetrou como fogo dentro das pupilas dilatadas. Exame do líquido cefalorraquidiano.

---

* "Ouviu a distante" no original deixado pelo autor [NE].

A agulha de platina abriu caminho feito uma lesma, buscando na junção gêmea de duas vértebras o líquido que escorreu, puro, em gotas. A proveta foi levada à janela, o médico mostrava-a ao pai, a luz batia na límpida água que saíra dele, e na sua ignorância pensou: "Meu cérebro boia naquela água."

As radiografias. Contra a luz da moldura sem quadro do gabinete médico, viu a chapa preta, as carnes deixavam uma sombra tênue em volta dos ossos que desenhavam a caveira, a testa inchada, grande como uma batata monstruosa, suja de terra, de incipientes raízes. O buraco dos olhos, na escuridão daquelas cavernas seus olhos pairavam, seus nervos passavam e lhe levavam o mundo, suas cores, seu sol. Os dentes pareciam grampos fincados em ossos quadrados. No grande vácuo era a boca, onde desciam alimentos que o sustinham, donde saía sua voz, seu gosto.

Ele era aquilo.

Dependia dos exames. No seminário não aceitavam epiléticos, nenhum bispo cometeria a loucura de ordenar um homem doente, ainda mais com aquela espécie de doença. Mateus ignorava o que lhe passara, os resultados foram negativos, não era doença feia, prescreveram-lhe o uso de óculos, repouso, usou óculos, repousou, o ataque nunca mais se repetiu. Já próximo às ordens, uma tarde caiu, numa roda de colegas que conversavam. O mundo lhe fugiu, rápido, e rápido abriu os olhos ainda a caminho da enfermaria. Fora um desmaio, ninguém duvidou, estudava muito para ser o primeiro na turma, era aluno brilhante, o desmaio foi levado em conta de excesso de leitura, de intemperança no estudar até altas horas, ninguém suspeitou, nem mesmo ele.

A doença caracterizou-se mais tarde, no primeiro ano de ordenado, pouco antes dos pais morrerem. Servia de capelão no sodalício São José, perto da praça da Bandeira. Acordou cedinho, tomou o bonde, ao saltar na rua do Matoso viu um homem sentado no meio-fio da rua, sujo de lama, cabelo crescido, ar de louco e de desesperado — não saberia precisar. O miserável enfrentou-o com o olhar, Mateus abaixou o seu, pensando num bêbado, num louco que o poderia agredir gratuitamente, era muito cedo ainda, a rua deserta, escura, as luzes já apagadas, o dia apenas ameaçava. Passou pelas costas, forçando o passo normal. Andou quatro a cinco metros quando ouviu o barulho. Voltou-se, o homem se contorcia na sarjeta imunda, os cabelos ensopados na lama, os olhos ausentes, a boca fervendo, crescendo a flor de espuma branca.

Pensou em socorrê-lo. Chegou a se aproximar, mas o homem era inabordável sob qualquer ângulo, por toda a parte sujeira, por toda a parte a rigidez do espasmo, dir-se-ia um tronco eriçado, sem saliências para a abordagem. Ficou ao lado, rezou mentalmente, se fosse caso daria a absolvição, cumpriria os ritos a que se obrigava e dos quais já se enfastiava, nos quais já quase não acreditava.

O bonde Matoso passou com poucas pessoas, soltaram todos, o motorneiro conhecia o homem, vagabundo habitual das redondezas, morava para as bandas do cortiço do Esqueleto, colocou-o no bonde, deixaria no hospital da rua Barão de Itapagipe, o mais próximo.

Chegou atrasado ao sodalício, as freiras assustadas, pensavam que não viria mais, já se resignavam à ideia de passarem sem a missa, sem a comunhão diária.

Ficaram mesmo. Ao se paramentar, sentiu o tremor involuntário e ingovernável no olho direito, a vista querendo saltar fora. Repentina vergonha de cair ali, cercado de mulheres. Correu ao banheiro, mal fechou a porta, tombou.

Acordou cheirando à urina, custou a reconhecer o local onde se encontrava. Do lado de fora batiam, duas freiras não haviam suportado o jejum até tão tarde, desmaiaram, as demais apreensivas, o dia da comunidade, as tarefas regulamentares não comportavam atrasos assim.

Não disse missa. Alegou má disposição, coisas do fígado, se houvessem arrombado a porta o encontrariam estendido, os olhos varados, a boca espumando a mesma flor branca que brotara na boca miserável da sarjeta. O outro tombara na lama, ele no banheiro —, doenças feias que pediam lugares escusos para se manifestar, como os vícios solitários.

A partir daquele dia não mais teve dúvidas. Ouviu um médico, clandestinamente fizeram os exames, o resultado veio. Positivo.

Mas já era padre, sacerdote para toda a eternidade segundo a Ordem de Melquisedeck, o que se consagrara pão e vinho mil anos antes de Cristo. Tão sacerdote quanto padre Lucas, quanto o cardeal, quanto o papa. Se soubessem que havia a doença, não o teriam ordenado, era impedimento canônico, a Igreja tinha covardias, cautelas tolas, acautelava-se contra os doentes, impossibilitada de exigir perfeições morais, exigia as físicas. E apesar disso, ali mesmo havia dois exemplos: ele epilético, padre Lucas mancando, a perna grotesca arrastando-se feito um fantasma pelos lajedos da velha igreja vazia, igreja pobre, pouca freguesia, movimento reduzido, a mão mutilada de Lucas afugentava almas sensíveis, há tempos, Ismael é quem conta, uma senhora gritou ao ver as duas garras sanguinolentas aproximarem-se de seu rosto, na hora da comunhão. Mãos que metiam nojo e pavor. Iam para outras igrejas, com padres inteiros, mais confortáveis. Com a vinda de Mateus o movimento melhorara, mas ninguém sabia que era pior doente que Lucas, mais repugnante até, que um dia despertara da letargia infernal fedendo a urina de freiras, imundo, como um leproso de estrada. "Quem seria o culpado?"

Mateus não gostava de pensar na culpa daquilo. Trazia a doença em si, seu sangue era podre, o vírus do inferno circulava em suas veias, imaculadas veias apesar de tudo, 33 anos de castidade intacta, puro como um anjo, carne exterior virgem, carne por dentro apodrecida, imunda como a de um porco, carnes que se contorciam independentes da vontade, em espasmo tão brutal que não chegava a doer. Quem transmitira aquele sangue podre?

A mãe? O pai? A mãe beata? O pai beato? Que o obrigaram a se tornar padre, sem consultá-lo, sem favorecer oportunidades outras que não aquela: padre para toda a eternidade. E estavam mortos os dois, morreram mais ou menos como viveram, sem percepção, sem o natural e sem o sobrenatural, uma morte de equívoco coroando uma vida cheia de equívocos, sem dignidade, sem glórias.

Olguinha casara-se, foram contra o casamento, queriam que a filha um dia enveredasse pelos mesmos caminhos: o convento. Por que os dois não se fizeram padre e freira antes de se juntarem e conceberem um organismo apodrecido como o dele? Queriam o sacrifício para os filhos, Olguinha recalcitrou, fugiu de casa com um rapaz que fazia revisão na Imprensa Nacional, sujeito sem futuro, sem possibilidades — diziam. Mas o rapaz não era tão inútil assim, fazia curso no Itamaraty, dois anos depois de casados foi o primeiro da turma, de modesto revisor da Imprensa Nacional passou a cônsul do Brasil não sabia onde, num desses lugares asiáticos que têm muitas religiões e muitos cartões-postais coloridos, ele mesmo recebera um, comunicando o nascimento do sobrinho — mas os pais já eram mortos.

Pensava sem horror e sem prazer na morte dos pais. Cercavam-se os dois de cuidados, achavam a vida uma dádiva de Deus, só os bons a mereciam, os maus eram castigados com os acidentes, as doenças, eles não tinham crimes, não tinham o que temer.

O pai esquentara café, antes de deitar. A mãe já dormia, cansada de arrastar os joelhos pela igreja durante o dia. Entontecido pelo sono, viu o café ferver no bule, pensou em desligar o gás, a chama se extinguiu na boca irisada do fogão, tomou o café fervido mesmo, foi deitar.

No dia seguinte, a empregada bateu inutilmente à porta. Ninguém atendia. O cheiro de gás despertou suspeitas, a polícia arrombou. Os dois estavam lá dentro, azulados, inertes, um para cada lado, como se houvessem se esbofeteado antes da morte.

Coincidentemente, foi sua primeira missa de defunto. Programara, por imposição da mãe, uma solene missa de réquiem pelo eterno descanso de todos os antepassados das duas famílias. Ordenado às vésperas do Natal, diversas festas importantes foram se sucedendo e adiando a missa para mais tarde, os antepassados haviam morrido há muito, já haviam tido muitas missas, podiam esperar mais um pouco.

Na Matriz de Lourdes foram armadas as duas pequenas ecas, a Congregação Mariana lamentou seu presidente, o Apostolado da Oração lamentou sua benemérita, mas fora disso ninguém realmente chorou, nem mesmo ele. Padre Tiago estava muito velho, muito próximo da morte para chorar a morte de alguém, esperava resignado, em sua cadeira de rodas, o anoitecer final e certo.

Anoitecer que veio logo, quatro meses depois. As exéquias foram solenes, Mateus serviu de diácono no solene pontifical que o cardeal veio pessoalmente rezar. O comércio, as escolas, os estabelecimentos públicos federais e municipais de todo o bairro vieram incorporados, até mesmo o pastor protestante da igreja batista próxima à praça Sete veio trazer seu pesar. Padre Tiago era um santo. Seu único erro, se acaso fora erro mesmo, foi não ter percebido em Mateus a passiva e silenciosa revolta contra a imposição da família e na qual o próprio Tiago havia tomado parte, na melhor das intenções. Diversas vezes Mateus tentara se abrir com o amigo, dizer que não queria ser padre, gostava das igrejas, das cerimônias, era menino bonzinho, obediente, mas não queria comprometimentos maiores, nada com a eternidade. Confessar isso seria a vergonha para a sua mãe, o opróbio para seu pai, talvez nunca mais voltassem à igreja por causa da zombaria dos rivais na beataria, morreriam danados na alma, longe da igreja que tanto amavam.

Ao iniciar os estudos de filosofia, descobriu sem agrado que nunca tivera fé, o que apreciara na Igreja, por hábito, fora justamente a sua pior face, a sordidez das sacristias nas quais uma sub-humanidade se agita em busca de vantagens e prestígios de santidade. Já era tarde, porém, não teve coragem de enfrentar o olhar de padre Tiago, olhar puro, simples, sem complicações, só bondade. Temia que padre Tiago suspeitasse de sua confusão interior, passou a evitá-lo, com os pais ficava calado, tomaram seu silêncio como importante peça de sua santificação, as grandes construções místicas são geradas pelo silêncio. Faltou-lhe coragem de voltar atrás, quando o bispo lhe pediu o passo decisivo, os votos de castidade perpétua, a promessa de breviário todos os dias, não teve outro jeito, deu o passo, atolou-se de vez, já não com indiferença, quase com ódio, e ei-lo subdiácono, depois diácono, finalmente padre, padre para toda a eternidade, a primeira missa, os pais ajoelhados no duplo genuflexório, chorando a seus pés, como se houvessem gerado um Deus.

Padre Tiago ficou exposto duas noites e um dia no imenso templo que fizera subir do nada. Cada tijolo custara-lhe sacrifícios, cada telha custara-lhe até privações de boca — pois nos primeiros tempos padre Tiago fome passou para erguer pelo menos o arcabouço de seu templo, no qual pudesse dizer missas e atender seus paroquianos. A campanha do batistério, na qual fora envolvido inconscientemente, o pai havia ganhado uns dinheiros, uma apólice premiada, Mateus nascera há dias, tomou o sorteio como graça dos céus ligada ao nascimento do menino, doou o dinheiro para o batistério, a primeira criança a ser batizada ali foi ele, lá estava a placa desenhada no mosaico vidrado, em caracteres góticos, no canto esquerdo de quem entra: "Aos 23 de setembro de 1924 foi solenemente batizado o inocente Mateus, filho do piedoso casal Antero e Joana, que em sinal de gratidão, mandou erguer este batistério."

Cenas outras de sua infância ameaçaram vir, Mateus enxotou--as deliberadamente, com energia, a mesma com que não podia contar para enxotar aqueles tremores de pupila que anunciavam os ataques. Pudesse enxotar assim a podridão que vinha incontrolável, como a da véspera.

Abandonou a janela, já o morro todo se acendia. Lâmpadas esburacavam a escuridão espessa que subia até lá em cima, onde o céu ameaçava romper algumas estrelas.

Ontem sentara naquela escrivaninha, insensivelmente foi enchendo o papel, recordações vieram. Sem dor, sem pressa, sabe lá como. Lembrou-se de ter entornado o tinteiro, a busca do pano azul, o ataque. Onde ficaram as folhas? Foi nas gavetas, olhou dentro, procurou na estante. "Ismael varreu o escritório. Ou jogou fora ou enfurnou em algum canto."

Sentiu alguém subir pela velha escada de madeira, Ismael na certa, para avisar do jantar. Quando padre Lucas estava lá embaixo limitava-se a berrar um "está na mesa!". Mas Lucão não queria berros quando recolhido no quarto, lendo o breviário ou descansando. O jeito era Ismael subir, a escada rangia, uniforme, percebia-se que eram duas pernas subindo, um homem inteiro, a pálpebra caída não pesava. Quando Lucão subia, a escada toda tremia e gemia, desgovernada, como que possuída por uma legião de demônios.

A pálpebra apareceu na porta, a figura do empregado cortando as linhas verticais do corredor que se afinavam ao fundo, no quarto de padre Lucas. Mateus tinha um jeito especial de olhar Ismael, envolvia-o num só golpe de vista, abrangendo-o todo, pálpebra também, sem nunca olhar somente a pálpebra, como os outros. Olhares assim não ofendiam, talvez por isso Ismael se afeiçoasse ao coadjutor.

— Tem um empregado aí da Ordem, chamado para um padre. Um doente.

— Da Ordem?

Ismael deu de ombros, como a dizer que não tinha culpa. O homem viera, ele transmitia o recado. Sabia que entre a Ordem e a paróquia havia guerra declarada, a Ordem tratou de encomendar e pagar um capelão, nada mais quis com o vigário, ali vizinho. Padre Lucas também não gostava de hospitais, não se precisavam um do outro, cada um vivia para seu lado, sem ajudas, sem pedidos de socorro. Agora vinha o empregado pedir padre, problema para Lucão resolver.

— Ismael — o tom de voz de Mateus procurava acentuar que não tinha nada a ver com a briga dos outros —, isso é problema para o padre Lucas, eu não posso desobedecer, são ordens, bem verdade que também não posso deixar um cristão morrer precisando de padre. Fale com o padre Lucas, se ele quiser ir, que vá, ou que resolva de outro modo, pedindo outro padre. Caso contrário, em última instância, irei eu mesmo.

A cara de Ismael aprovava o bom senso de Mateus, assim é que se falava, sem ódios, sem segundas intenções, sem rompantes. Rodou nos calcanhares para ir ao quarto de Lucas, mas não foi preciso, ao longo do corredor lá vinha a batina gingando, a perna atrás, como apêndice inútil e mal-ligado ao todo, a cabeça fazendo esforço por se manter imóvel sob o balouçar azeitado do resto do corpo.

— Então pediram penico, hein? Eu sabia, mais dia menos dia os apanhava, aqueles galegos sem-vergonhas que só querem dinheiro para si! Está aí, vieram, entregaram os pontos!

O rosto refulgia, imponente, tomando vermelhões esparsos que lhe acentuavam o ar de triunfo. Não esperava vitória tão definitiva, tão insofismável quanto aquela, o empregado à espera, a direção da Ordem sabendo que precisavam dele.

— Pois vá o senhor, padre Mateus, vá o senhor. Não meto mais os pés naquele antro, não quero mais nada com aquela galegada que pensa só no dinheiro, que julga que o dinheiro compra tudo, pode comprar o cardeal, os outros padres, mas a mim não compra, nem vivo nem morto!

Mateus deixava o superior desabafar. A briga com a Ordem, afora o incidente do aleijão, era o episódio mais importante de toda a sua vida na paróquia. Logo ao início, quando o hospital começou a ser construído, o cardeal, solicitado pela diretoria da Venerável Ordem Terceira, pedira a Lucas que servisse de capelão também, afinal, eram vizinhos, não custava nada. Padre Lucas serviu vários anos, sem retribuição de qualquer espécie, considerando o hospital como parte integrante de sua paróquia, como de fato o era. Até que veio a queda do andaime, padre Lucas, torcendo-se em dores, pediu que o levassem para a Ordem, os operários que o socorreram improvisaram uma padiola e subiram a monumental escada que serpenteia os jardins do imenso hospital. Na portaria foi posto para a rua, a Ordem não o podia aceitar, Lucas não era irmão da Venerável, só irmãos podiam gozar os benefícios da internação, custava caro um diploma de irmão, Lucas não tinha dinheiro, foi parar nos hospitais da prefeitura, infectos, mãos profanas e sem respeito trataram dele, a demora no primeiro socorro dificultou a reposição do osso quebrado no lugar exato, nunca mais andou certo, o aleijão ficou para o resto da vida.

Cinco meses depois voltou, mancando, a mão esquerda dentro de uma luva, escondendo os dedos que faltavam. Olhou com desprezo o soberbo prédio onde fora recusado como cão infecto. Jurou nunca mais ir lá, nem à força, nem para salvar a própria alma.

Por sua vez, a Ordem era muito rica. Entrou em entendimentos com o cardeal, doou um altar de mármore à capela que Sua Eminência construía em sua fazenda de descanso, em Itaipava, pagou um capelão, nunca mais precisou dos serviços da paróquia, ignorou a igreja pobre, caindo aos pedaços cada vez mais, a torre incompleta, destelhada, onde pombos faziam companhia aos sinos esverdeados. Nos dias de procissão solene o prédio do hospital era o único de toda a rua Conde de Bonfim que não atendia* ao

---

* A palavra "atendia" foi acrescentada ao original deixado pelo autor [NE].

apelo do vigário para "ornamentar as fachadas por onde passassem as relíquias do Santo protetor da Paróquia". Um desafio mudo, doendo na carne, que se transformava até em ofensa. Sob o pálio dourado, padre Lucas olhava de esguelha as 84 janelas coloniais do hospital, fechadas, nem uma flor, nem uma flâmula, como se, naquela casa, servissem a um outro Deus.

Finalmente, aí estava, precisavam dele. Ele mandaria outro. Um triunfo!

Excitado, voltou para o quarto, enxugando com o lenço um hipotético suor que sentia sob a nuca, sentindo-se mais jovem, não era somente o amor que rejuvenescia, uma boa vingança dava anos de vida, não era à toa que a vingança se turvava no supremo prazer dos deuses.

Padre Mateus parou no meio da escada, voltando-se para Ismael que o seguia:

— Você arrumou o escritório hoje?

— Arrumei.

— Viu uns papéis na minha escrivaninha?

— Não.

Acabou de descer a escada, no cabide escuro atrás da porta pendurou a capa, o chapéu, penetrou na sacristia para apanhar os santos óleos, não era caso de comunhão na certa, bastaria a confissão e a extrema-unção se fosse necessário.

A suspeita passou-lhe pela cabeça.

Marcos espremia o grosso corpo contra a parede, muito volume para comprimir ao longo da parede fria, os ladrilhos brancos cheirando a desinfetante. Não havia outro jeito, abuso demais, fora condescendente, aquilo era plano antigo sempre adiado: as galinhas do vizinho, gente morando de favor nos fundos do hospital, no início do morro, faziam devastações em suas plantações. Botara espantalho, um avental sujo de sangue, ficou tétrico, espantou todo mundo menos as galinhas. E agora o massacre quase total: vieram pela manhã —, tivera a plástica de períneo sem importância que acabara se complicando, ficou na sala até quase meio-dia — e remexeram tudo, a penugem verde-arroxeada dilacerada, até as sementes revolvidas.

Marcos esperava dos feijões, a terra fora pródiga para os milhos, bastava jogar e pegava. Feijão precisava mais cuidado, e a terra, segundo a opinião de alguns poucos entendidos, era má. O enfermeiro Ary tinha sido agricultor em moço, possuíra um palmo lá para as bandas de Jacarepaguá, apostava um mês de ordenado como ali não dava feijão que prestasse. Marcos, a bem da verdade, nunca tinha plantado feijão, plantava bananas primeiramente, depois milho, coisas fáceis, que pegavam sem cuidados, era só jogar. Tinha noção geral sobre a agricultura: a terra era boa, havia até aquela frase que nem mais sabia de quem, de Pedro Álvares Cabral ou Anchieta, a terra era boa mesmo, em se plantando tudo dá. O negócio era esse, em se plantando.

Plantava e esperava. Ary argumentava contra, a terra era boa, mas não ali, em plena cidade, edifícios enormes em volta, esgotos passando suas tubulações podres, sol incerto devido à altura das construções, os veios d'água contrariados pelas fundações de concreto. Entretanto, Marcos amava a terra de outro modo, sempre lhe fora amante fiel, correspondido sempre, infiel nunca.

E começavam a despontar feijões. Dia a dia ia medi-los, cheirá-los. Por uns tempos o interesse pelas bananas decresceu, a atenção toda para os feijões, quando comia bananas de sua plantação ficava imaginando a mesma seiva, a mesma força da terra que produzira a fruta fazendo germinar feijões no escuro do solo.

Eis que chegam as galinhas. Atraídas sabe lá por que, vieram cutucando a terra, descendo, descendo, bicando aqui, pinicando ali, passaram pela frágil cerca de trepadeira que divide os fundos do hospital, bicando, bicando, encontraram o primeiro pé de feijão. Depois voltaram, voltavam todos os dias, no rastro certo, jamais confundido.

Tentou todos os meios. Práticos, científicos, as rezas. Botou comida envenenada, as galinhas perceberam o veneno pelo cheiro, passaram ao largo. Botou o espantalho, caprichou no monstro —, um doente em acesso de febre viu aquilo lá de cima e deu um berro. Ary recomendou os ofícios de um servente da enfermaria de ortopedia, o sujeito sabia mandingas e macetes, tinha terreiro montado lá para as bandas de Nova Iguaçu. Marcos trouxe o camarada à meia-noite, a plantação foi rezada e regada com azeites e cachaças — se os galegos ou as freiras vissem aquilo estavam os dois na rua. Mas as galinhas não tomaram conhecimento das ofensivas deste e do outro mundo, vinham obstinadamente todos os dias, bicando aqui, pinicando ali, matando Marcos aos poucos, de raiva, de impotência.

Aflição de todas as manhãs. Mal acordava ia correndo ver os estragos, inventariava as perdas. A primeira cirurgia apanhava-o em estado de excitação, certa feita cortou exageradamente o talho na barriga, bastando dois centímetros, fez o rasgão do tamanho do mundo, como se dele fosse extrair um elefante. "Vou mal, daqui a pouco fico tão barbeiro quanto as sumidades." Descobria por que as sumidades eram barbeiras: as preocupações de cada dia, mulher, filhos, amantes, a rivalidade dos colegas, o dinheiro. Marcos não tinha preocupações, não tinha família, nunca amara ninguém, não ligava para o dinheiro, a Ordem dava-lhe casa e comida, um pouco de dinheiro para os cigarros, até roupa não era problema, vivia de avental branco o dia todo. Os outros médicos vinham pela manhã, caras escuras, os doentes corriam enorme risco, letras protestadas ou a protestar, aluguéis a cobrar, amantes que traíam, filhos que levavam bombas todos os anos, operavam mal, era testemunha de intervenções criminosas. Mas ele não tinha problemas, na hora de operar, operava, metia sua gorda mão pelas entranhas vermelho-escuras, sua perícia era gabada, nenhuma sumidade operava sem a assistência próxima do médico-residente da Ordem.

Foi durante uma operação desastrada, complicada por suas próprias mãos. Descobriu que assim não era possível, breve mataria alguém na sala de cirurgia. E enquanto costurava as camadas de carne rasgadas inutilmente, acudiu-lhe a ideia radical: matá-las, matá-las com as próprias mãos.

Passou dias ruminando planos. Não era lido em policiais, lembrava-se de alguns, que lia às vezes, quando encontrava revistas de crime espalhadas nos banheiros dos médicos. O principal era atrair as vítimas para local propício onde pudesse consumar a morte. Levantou mentalmente a topografia do hospital, detalhou o caminho das galinhas, passeavam pela cerca, no ponto exato onde o falecido comendador Trovão mandou enterrar o feto clandestino da Guiomar — amante de todos os comendadores da Ordem. Constatou que o natural caminho ia dar justamente em sua plantação. Como atraí-las para outro local onde pudesse apanhá-las? Seu quarto, nos baixos do edifício, era muito distante.

Estalou na cabeça a ideia: a capela mortuária! Era mais ou menos a meio do caminho, um pequeno desvio.

Foi à despensa, pediu a Zé Bolacha um pouco de milho. Zé Bolacha apanhou a cuia de queijo do Reno enferrujada, meteu fundo no saco de milho.

Fez o rastro espaçado, científico, até a capela. Inevitável a armadilha. As galinhas vinham, de grão em grão, um aqui, outro mais adiante. Na porta da capela, do lado de dentro, esparramou a cuia toda — um mundo de milho, tentando.

E lá estava, há meia hora, espremido contra a parede, fiscalizando a intacta trilha de milhos. A capela vazia, a mesa de mármore do centro bem-lavada, bem fria. Ali ficavam indigentes, os que esperavam a hora do enterro sem velório, eram jogados em vala comum no cemitério da Ordem.

Vazia, mas por pouco tempo. Ouviu, agoniado, o barulho do carro rangendo no cimento escasso que forma o caminho pelo meio da terra. Empurrou o milho da porta para o canto, fez cara de inocente. Dois serventes entraram empurrando o carro, até ficar paralelo à mesa de mármore. Pegaram no lençol de baixo, suspenderam o corpo, jogaram sobre a mesa.

— Tira os lençóis?

— Não precisa.

— No sexto andar há falta.

Tiraram os lençóis, o defunto surgiu, espesso, o pijama de fazenda rala, as iniciais da Ordem, os pés de sola amarelada, a cara não de todo repugnante ainda, homem de meia-idade, grosso.

Os dois serventes não se espantaram de ver Marcos ali, mesmo assim o médico julgou-se obrigado a explicações:

— O Provedor vai mandar aumentar a capela, vamos construir outra mesa, às vezes fica morto espalhado pelo hospital...

— Terreno não falta.

— Não, nada de nova capela, vamos aproveitar esta mesmo. Basta demolir esta mesa no centro, fazer mais uma ou duas, fica um pouco apertado, mas ninguém vai reclamar...

Os homens tinham pressa, não queriam conversa:

— Até logo, doutor.

— Até logo.

Suspirou. Não desconfiaram de nada. Arrumou às pressas os milhos pela soleira, as galinhas lá de fora teriam de ser tentadas pela fartura de dentro. Espremeu novamente o corpo contra a parede, evitava olhar o morto, dispensava aquela companhia silenciosa. "Bom, a galinha não tem medo dessas coisas."

Apesar de não temerem defuntos, elas não vinham. Marcos olhava com ódio o intruso, descarregava a culpa no cadáver. Não o conhecia, devia estar na Ordem há pouco tempo, colapso cardíaco na certa, nunca passara pela sua seção. Desprezava cadáveres assim, que iam para a terra sem passarem por suas mãos.

Viu a penugem avermelhada. Gorda galinha, Rodney. A crista vermelha, apetite nervoso, o pescoço de reflexos dourados curvando para lá e para cá, os grãos de milho sumindo na goela insaciável. Logo depois outra, quase uma franga, rala de penas, apetite mais moderado. Vinham duas. Cardareli se alarmou: pensava em galinhas, amaldiçoava galinhas, mas julgava que só lhe apareceria uma galinha, nela concentraria seu furor contra a raça inteira. Mas apareciam mais duas, podiam aparecer mais, imaginou um mundão de galinhas, entrando, entrando para dentro da capela, tornando-a num galinheiro. Duas coisas começavam a tumultuar seus planos: o defunto em cima da mesa, e as duas galinhas ao mesmo tempo.

Um momento de indecisão à porta da capela: galinha e franga pararam, receosas, olhavam o milho lá dentro, esparramado, farto. Mais além, sombras. Marcos, espremido ao lado da porta, prendia a respiração, tão inerte quanto o morto: um na horizontal, sendo justiçado por Deus; outro na vertical, justiçando as galinhas.

A mais velha entrou resoluta pelo esparramado de milho. Insaciável gula, pescoço roçando o chão quase, os grãos desaparecendo, o papo enchendo. Dúvida em Marcos: fechar a porta agora? Prender uma apenas? Julgava que as duas entrariam ao mesmo tempo, não previra a hipótese, entrar uma e a outra ficar de fora. Na iminência de perder as duas, melhor seria fechar logo. A franga continuava na porta, olhando de lado, espantada com as sombras do fundo, desconfiando de suspeita fartura.

Renunciou perder as duas, deu um salto e fechou a porta. A franga, na soleira ainda, assustou-se, pulou, em vez de cair para o lado de fora, caiu dentro da capela.

A porta bateu com estrépito, desferiu sons abafados pela capela oca. As galinhas sentiram-se perdidas, renunciaram ao milho.

Volteavam em torno da mesa, batendo asas contra as paredes, ameaçando voos inábeis.

Marco tinha tempo de sobra. A porta fechada, só o basculante de cima aberto, muito alto, não chegariam lá.

Começou a luta. Pesadão e sem escrúpulos, tentava apanhá-las com as mãos, elas fugiam, alcançava-as com os pés, elas batiam violentamente contra as paredes, raivosas, esganiçando, faziam os três um barulho dos diabos, só o morto fazia silêncio, pesado silêncio. Começava a ficar inchado, a cara amolecia, as formas se derretiam, encompridava em cima da mesa. A franga pulou-lhe em cima, tinha força nas asas, ficou passeando pelo mole ventre, Marcos esparramou-se em cima da mesa num acesso de raiva, mas a franga voou mais ainda, alcançou o basculante. Mais um voo e ficou livre, o cacarejo se distanciando, do lado de fora já.

Marcos quase abraçara o cadáver na ânsia de agarrar a franga. Teve náuseas por aquilo, e redobrada raiva pela outra. Correu atrás dela no peito, sem técnicas, na raiva só, sem cautelas, corria, chutava o ar, os olhos faiscavam, começava a cansar. Mas quem cansou primeiro foi ela. Foi para um canto, encolheu-se. Quando deu o bote sem muitas esperanças, ela ainda ameaçou um pulo para o lado, mas já não tinha forças. Mãos brutais alcançaram-na em cheio, deu um pio mais forte e ficou a tremer, dominada.

Suor descendo pelo gordo pescoço de Marcos. Tal qual durante operações difíceis. Operação difícil aquela, matar a galinha ali mesmo, o defunto próximo demais. Se tivesse canivete ou faca seria fácil, usaria meios normais de trabalho, pouca diferença do complicado instrumental lá de cima. Era dar o corte na direção certa e a vida ia embora. Sem faca, ficava difícil, a vida explodia dentro do corpo quente que tremia em suas mãos.

"O pescoço, é lógico, aperto bem, ou torço." Basta deslocar um pouco, a morte asfixiada, o ar dentro, a bomba concentrada, jamais explodida. Temia sufocações, se tivesse de escolher morte preferiria o bisturi, ou um tiro dentro da boca, tudo, menos morrer com o sopro dentro.

A galinha continuava a tremer, tinha os olhos meigos, por pouco não se condoía. Mas apalpou-lhe o papo, ali estava, cheio, apetite feroz, nunca saciado, fora milho, milho proposital, amanhã seriam feijões. Sentiu o pescoço duro, só torcer ou alongar, a vida incharia dentro dela, morreria sem contatos com o ar de fora.

Sujo de penugem, com uma das mãos segurou-a pelos pés, deixou-a cair de cabeça para baixo. De início estrilou, debateu-se, se habituou, ficou quieta, um silêncio estranho. Limpou as penugens, o chão tinha penas por todos os lados, excrementos amolecidos, restos de milho. Nem o defunto escapara: penugens pelo corpo, na altura das coxas, a franga deixara um excremento esverdeado e branco, Marcos com uma penugem jogou-o ao chão, o pijama ralo ficou manchado.

Rápida inspeção pela capela, tudo nos lugares, a mesa no centro, em cima dela o morto, ninguém repararia em nada, amanhã ou depois algum servente varreria as penas espalhadas.

Abriu a porta. Ar bom entrou dentro dele. A galinha tremeu, satisfeita, recuperada, sentindo a possível volta aos terreiros livres, à terra úmida, cheia de minhocas.

Marcos já tinha decisão. Foi direto para a cozinha, cheio de cautelas para não passar pelas varandas dos 12 andares, uma sobre a outra, impossível que não houvesse alguém observando o quintal. Seria um escândalo, o médico-residente da Venerável Ordem roubando galinhas. Evitou o lado das varandas, deu volta enorme pela frente do anexo dos velhinhos. De lá até a cozinha era rota segura e abrigada.

Ninguém pelo caminho. Chegou à cozinha satisfeito. Zé Bolacha recebeu-o com cara espantada:

— Gorda, hein doutor?

Sorriu modesto:

— Me deram de presente, Zé.

Embaraçado agora:

— Pode ser para amanhã?

— Amanhã é minha folga, quem cozinha é o Neves.

Marcos não se dava com o Neves.

E para hoje é possível?

Zé Bolacha olhou o relógio da área central:

— São quase quatro horas. Não dá tempo para o jantar. Só se...

— Olha Zé, vê se apronta isso logo que puder, faço uma ceiazinha no quarto, tá.

Zé Bolacha devia favores, amostras gratuitas, fortificantes para os garotos, peitorais para a própria bronquite, não podia recusar:

— Está bem, doutor, lá pelas oito horas está pronta. Demora um pouco porque a irmã-despenseira faz vistoria nas panelas antes e depois de cada refeição. Só posso colocar no fogo depois do jantar, entende?

Entendia.

— E olha Zé, vê se mata a bichinha na faca. Não torce o pescoço assim. — Fez o gesto no próprio. — Deve ser horrível morrer sufocado.

O cozinheiro não deu importância ao pormenor, não era profissional de mortes.

— E olha, Zé, uma farofinha com azeitonas, tá bem?

Foi para o quarto, tomou banho, preparou-se para jantar frugalmente, guardando a fome para mais tarde. Antes de descer ao refeitório dos médicos, pediu ao filho de Ary para comprar três garrafas de cerveja:

— Bota na geladeira. Apanho depois.

Esfregava as gordas mãos, satisfeito, limpo. Dois coelhos duma só vez. Livre das galinhas, pés de feijão nasceriam intactos, bela ceia em perspectiva, na solidão do quarto, farofa com azeitonas, cerveja. Sentiu sua vida boa, plácida, cheia de pequenos encantos, sem grandes emoções é verdade, mas não fora feito para elas, preferia a simplicidade, as coisas da terra como as bananas, os feijões, sua vida escorria leve, igual, sem atropelos, sem angústias. "Indiscutivelmente, a vida é bela", pensava.

Edifícios cinza para os lados das cidades, escurecendo o céu, apesar da amarelada faixa que o cortava quase ao meio. Para as montanhas o dia firmava uma última luz forte, clara, embora morna, final. "Foi preciso isso para que tivesse tempo ou vontade de olhar o céu."

Raquel sentia-se diferente, sabia que no fundo não tinha muito o que mudar, era hipótese prevista. O que não previra, nem em hipótese, era o estado de letargia em que ficara, o futuro sem significação, o passado dividido em antes e depois, como o céu, de um lado cinzento, escurecendo cada vez mais, de outro uns restos de luz, só na cor lembrava remotamente o dia, a intensidade já era de noite.

Olhava a paisagem, a cidade ao longe, edifícios destacando-se de telhados neutros, no primeiro plano o suntuoso jardim, tipicamente português, flores vermelhas e amarelas simetricamente divididas e espaçadas por verdes ramagens, dispostas em torno da imensa escada, o casario da Tijuca, edifícios de quatro a cinco andares que começavam a despontar em todo o bairro, novos, alegres, janelas de cores fortes, telhas frescas e vermelhas ainda.

Mais feio da paisagem, a igreja, a tinta de fora descascando, deixando à mostra sucessivas mãos de pinturas ordinárias, já fora branca, verde, a última camada era creme, mas dela só restavam intactos alguns pedaços esparsos. Havia brechas na argamassa, quais feridas abertas, deixando aparecer a carne avermelhada de pálidos tijolos unidos por cimento e barro. O telhado escuro e informe, a claraboia formando a ogiva malfeita, a torna incompleta, subindo quadrada até quase dois terços do seu tamanho natural, depois sobravam as colunas de concreto espetadas no ar, ridículas, como um banco de pés para cima. A cobertura de madeira protegia dois sinos tristes e gosmentos, cujos sons deviam vir submersos do limo e dos serenos acumulados. Vestígios de andaimes em torno da torre.

Descalabro mais acentuado pelo monumental prédio da Ordem de um lado, o colégio São José do outro. Afogavam a igreja em ruínas, duas construções imensas, bem-conservadas, ajardinadas. Raquel odiou o hospital, os jardins. Simpatizou com a igreja, que não vira a fachada, talvez tivesse melhor aparência, não via também o lado contrário. Que dava para o colégio São José, onde só percebia o puxado que na parte de baixo parecia ser a cozinha, e na de cima algum quarto ou escritório. "Estou perdendo tempo à toa!"

No apartamento 602 estava sua vida, encerrada num corpo que agora sabia condenado. Ali, um homem, mais velho que ela, esperava o milagre que, ela sabia, não viria. Só aquilo realmente importava, até há pouco. Agora o mundo todo possuía a mesma hierarquia de valores, tanto lhe fazia casar com um príncipe como olhar as ruínas da velha igreja, as flores vermelhas e amarelas do jardim, o homem vestido de avental branco, gorducho, que passou lá embaixo, com uma galinha na mão, na direção dos fundos do hospital.

— Já veio a confirmação?

— Não. Vamos ligar para a companhia daqui a quinze minutos novamente.

O porteiro era galego, todo mundo ali era galego. Complicava uma coisa simples. A família de Vitor deveria chegar no aeroporto às seis e meia da noite, viajava de Porto Alegre, mal soubera da situação. Esperaria. Quando o avião chegasse, um rapaz da Varig telefonaria para ela. Arrumaria a maleta que trouxera na véspera, olharia mais uma vez Vitor, sem amor, sem pena, sem ódio também, e iria embora. Ao passar por aquela igreja, se estivesse aberta, talvez entrasse e fizesse uma coisa que há muito não fazia. Espantou a ideia: há muito não rezava, não seria agora, num momento difícil, que dobraria os joelhos, vencida, pedindo clemência ou proteção. Sentia-se vivida, "minha fase boa", acabara a fase boa, chegariam os tempos magros agora, dificuldades surgiriam, de qualquer forma era moça ainda, vários caminhos se abririam, quem sabe um matrimônio, com véu, grinalda, um homem bom à sua espera. "Desde que não seja casado também."

Fora um erro, não havia dúvidas. Apaixonara-se cedo, 18 anos dentro de suas carnes, de seus músculos, pouco juízo, não resistiu ao encanto do homem suave, seguro. Casado, tinha mulher, filhos, um pouco velho para ela, quase 25 anos, dificuldades que fizeram-na tremer de emoção ao se entregar a ele, sem reservas, total. Em Porto Alegre não poderia ficar, a família de Vitor criava embaraços, a dela também, a vida ameaçava um inferno de questiúnculas mesquinhas, o jeito foi o Rio, Vitor montou-a num apartamento em Copacabana, dava-lhe conforto, segurança, e esporádica companhia. Passava três a quatro semanas em Porto Alegre, viajava para o Rio, em negócios, próspera a sua indústria, tinha transações em todos os lugares, os três dias que passava no Rio eram seu matrimônio.

A cara redonda do porteiro mais uma vez diante dela. Barba cerrada, moça, olhos escuros que brilhavam protegidos por sobrancelhas espessamente negras, sotaque carregado, dentes fortes, tipinho mórbido, desses que prosperam logo.

— A companhia ainda não tem a lista de passageiros.
— Tá bem.
— Era só isso?
— Só. Se precisar de alguma coisa falo com o senhor. Não quero que o pessoal daqui de cima saiba de nada.

— Às ordens.

Delicadeza repugnante a do homem.

— O senhor já foi jardineiro?

O porteiro corou, ofendido.

— Não. Trabalho na portaria há muito tempo, substituí meu pai, que foi o primeiro, desde que o hospital abriu.

Raquel riu.

— Desculpe, sempre que vejo um galego penso que é jardineiro. Sabe que gosto de flores?

O porteiro esqueceu-se do amuo, tomou intimidade, acercou-se do peitoril para olhar também.

— Lá embaixo tem flores bonitas. Do lado de cá, no pátio interno, há outro jardim, é mais simples, mas também bonito.

— Não acho bonito esse jardim. É horrível.

O galego voltou a passar mal, a mulher zombava dele, ria sem jeito.

— Não gosto de coisas bonitas. — Raquel falava como se estivesse sozinha e tentasse convencer a si mesma. — Gosto daquela igreja.

O português olhou a igreja, nunca a observara daquele ângulo, reparou que era o menos favorável.

— Ah, a igreja, sim, está maltratada...

— Por que está maltratada?

Insensivelmente baixou a voz, como se falasse de uma pessoa viva e próxima:

— Desleixo e briga. O vigário era metido a esperto, aproveitou a construção do hospital para fazer obras na igreja, reparos no teto, mudou assoalhos da casa paroquial, iniciou a construção da torre. Meu pai foi quem pegou, o padre de noite roubava o material destinado ao hospital, sacos de cimento, tijolos, tábuas, a torre ia subindo e o depósito que papai tomava conta ia ficando vazio. Até que um dia o padre caiu do andaime. — Apontou o dedo para um ponto da torre. — Quebrou a pena, perdeu um dedo da mão, atribuiu tudo a praga do comendador Trovão, que dirigia as obras daqui. Depois disso a igreja nunca mais tomou pé, o movimento caiu, foi ficando abandonada, o povo do bairro prefere outras igrejas, aos domingos, por exemplo, a nossa missa na capela interna tem mais gente que na missa da paróquia. Só agora veio outro padre, mais moço, tentar melhorar as coisas.

— Pensei que a igreja por dentro fosse bonita.

O galego fez careta:

— Pior ainda.

Macios passos deslizaram pelos ladrilhos encerados e o manto branco de uma irmã virou próximo aos dois. O porteiro falou mais alto, como a se desculpar, os regulamentos não permitiam que ele estacionasse ali, a não ser para receber ou transmitir recados.

— Bom, madame, logo que telefonem aviso a senhora.

— Obrigada.

Raquel respondeu de costas, olhando a velha igreja, o padre aproveitando-se das trevas para roubar material da obra, caindo do andaime depois, a perna na certa manca, o céu cada vez mais escuro, Vitor morrendo, "não passa desta noite", foi o resultado do exame superficial que fizeram, a lista de passageiros, o avião descendo na pista, rolando, rolando, os filhos, a mulher de Vitor, talvez àquela hora despejados do céu, assustados, sua maleta estava pronta, entraria no quarto, evitaria os olhos de Vitor, iria embora sem olhar para trás.

Bem diversa da enorme mala que trouxera do Sul, seis anos atrás. Vitor comprara-lhe roupas, vestidos, peles, tratava-a como uma deusa, ou como diziam os parentes de um e de outro, "como uma cortesã". Bons hotéis, montaram apartamento em Copacabana, muito conforto, passaram seis meses juntos, lua de mel completa, a descoberta do amor, do Rio, da noite, depois veio a nostalgia, Vitor sentindo saudades dos filhos, não tinha estofo para voos tão altos, nostalgia da própria mulher quem sabe, aceitou passivamente a situação, falhara como amante, falhara como cortesã, ficou sendo a outra.

Deixou-a sozinha, bem-instalada, sem necessidades, dinheiro certo e folgado, periodicamente mandava o telegrama, "estarei aí dia tal, espere-me no aeroporto", Raquel o esperava, o avião tocava a pista, a primeira pessoa a sair era Vitor, segurando a pasta de papéis, roupa não precisava, tinha em casa, e eram três ou quatro noites de loucura, de presentes, passeios, depois o avião tomava a pista novamente, Vitor era o último a entrar, dando adeus, mãos cheias de embrulhos, presentes para os filhos, encomendas da esposa, o avião sumia naquela curva do outro lado do Pão de Açúcar, ela voltava para o seu apartamento, mandava lavar o pijama do Vitor e ficava esperando o próximo telegrama para repetir o mesmo rito, os mesmos beijos, o mesmo aceno de adeus.

No primeiro ano Vitor escalonara festas: Natal passou com a família, o Ano-Novo com ela. Depois nunca mais escalonou nada, vinha quando podia ou precisava tratar de negócios, ou a carne dele exigia a dela, coisa que ia ficando rara ultimamente, era ela que ficara sem atrativos ou era ele que simplesmente ficara velho ou doente? Talvez tudo isso junto.

O homem gordo de avental branco passou outra vez lá embaixo, esfregando as mãos, parecia contente, já sem a galinha, encontrou o rapaz que vinha em sentido contrário, pararam, o homem puxou a carteira do bolso de trás, tirou uma nota, o rapaz saiu correndo, o homem gordo seguiu seu caminho, a esfregar as mãos, manchando com seu avental branco o colorido do jardim que embrumava, as últimas sombras da tarde.

A luz do corredor foi acesa, raios disformes e fracos batiam nos ladrilhos das paredes, no encerado do chão, dava uma sensação de frio, de abandono, quando as noites vinham e ela estava só, Raquel sentia-se exilada e distante dela mesma. Nunca se sentira tão só quanto agora, descobrindo que nunca amara Vitor, que seu sacrifício fora inútil, seu drama um equívoco, seguira um homem pelo simples homem, essa coisa tola e finita que é um homem, que envelhece, que trai, que morre.

Nem se surpreendeu quando teve a certeza: câncer. Vitor escondia, conseguia esconder dos outros, era vaidoso, fazia questão de parecer eternamente em forma, não queria apodrecer diante de ninguém. Mas há o momento em que a farsa dá lugar à tragédia. Vitor voltava a Porto Alegre, andara triste, cabisbaixo, muito pálido, não quis que Raquel o levasse até o aeroporto, despediram-se no apartamento. Tomou o táxi, a maleta de sempre, mas sem embrulhos para a família. O avião em que ia viajar não levantou voo, a companhia telefonou-lhe logo após sua saída, não precisava ir, o avião só partiria no dia seguinte. Ela esperou que Vitor voltasse. Voltou o táxi, o motorista devolveu a lapiseira que encontrara no banco de trás. Sim, era dele, ficara no aeroporto. O motorista não o levara ao aeroporto, deixara-o num hospital, "na Tijuca", afirmou, sabendo o que dizia.

Ela nem se assustou ao sabê-lo desenganado, questão já nem de dias, de horas talvez, uma cirurgia quem sabe esticaria um pouco.

Vitor sim, assustou-se, ao vê-la silenciosa, entrar pelo quarto, a capa de chuva caída sobre os ombros, a pequena maleta nas mãos, para ficar onde devia, a seu lado, até que a outra chegasse, tristeza também na boca, desencanto também nos olhos.

Não houve explicações, nem desculpas, a morte usa silêncio, o perdão, o amor, até mesmo o ódio ou a indiferença o usam também.

Sim, indiferentes. Vitor se preocupava com a família, na hora final desejava tê-la ao pé de si, um burguês. Pouco se lhe dava, ele não era mais nada em sua vida, amigo talvez, ex-amigo diria melhor, talvez nem isso. Daqui a um mês já não teria a mesada, o aluguel do apartamento venceria, ela teria de continuar a comer e se vestir, ou arranjava outro Vitor (e sentiu um desespero plácido ao pensar na obrigação de repetir um outro Vitor, um outro adeus a cada avião que levantasse voo para céus maiores) ou se prostituiria com um e com outro, qualquer coisa dava no mesmo, a noite caía agora, inexorável, as flores vermelhas já não se destacavam das amarelas, o branco corredor brilhava, açoitado pela luz violenta que jorrava dos tetos imaculados, vultos bruscos de freiras passavam para cá e para lá, como sombras, o motor do elevador fazia barulho quando travava o carro no andar, o bonde do Alto da Boa Vista, que há pouco passara naquela nesga da rua Conde de Bonfim, rangia agora, subindo a serra, contra trilhos estridentes que o subjugavam.

Foi o cabineiro do elevador que veio com o recado. O porteiro não quisera subir, mandara o aviso pelo subordinado:

— O avião já chegou. Não veio ninguém com os nomes que a senhora mandou.

— Ninguém?

— Ninguém.

Pensou na cara de Vitor quando soubesse, aquela cara que a doença tornara mais lúcida ainda. Teria pena dele, se sentiria abandonado ou traído, e talvez por causa disso a odiasse no momento final, teria remorso do seu passado com ela.

A rigor não havia motivos para isso, a família fora avisada pela manhã, qualquer contrariedade surgida e não pode embarcar no avião combinado, viria em outro. "Talvez seja tarde."

Lembrou a cara do médico, "não passa desta noite".

Uma servente saía do apartamento 602, as meias brancas escondiam pernas monstruosamente inchadas. Chamou Raquel com um aceno de cabeça:

— Está pedindo padre.

— Padre?

Raquel riu. Ia entrar no quarto, reconsiderou, voltou para o janelão do corredor. No fundo, tinha de reconhecer, estava desnorteada. Um padre, para quê? Vitor era ateu, não tinha nada a fazer com padres, não teria sequer remorsos se houvesse matado um homem ou violado um tabernáculo.

A cara do porteiro novamente à sua frente, embaraçada.

— Madame, seu marido pediu um padre, a ordem tem um capelão próprio para esses serviços, o padre Guilherme, mas está fora, foi visitar parentes em Minas Gerais, volta para o mês, só vem padre pelas manhãs, para as missas e as comunhões das freiras...

— Ótimo. Por mim não preciso de padre.

— Mas seu marido...

— Ele não é meu marido, é meu amante.

O porteiro confundia-se cada vez mais, julgava que a mulher continuasse a zombar dele.

— Só se mandarmos buscar um na paróquia...

— Quem pediu padre foi ele, não tenho nada a ver com isso.

Uma freira se aproximou, ouvira a parte final do diálogo, levou o porteiro para um canto afastado, falaram em voz baixa, pelo jeito de se afastar de costas, Raquel percebeu que a freira acreditara que ela não era esposa do homem do 602. "Estou ficando irritada, estou ficando irritada."

Não gostava de se irritar, mas aquele cair de tarde, talvez o homem de avental branco com a galinha de cabeça para baixo ou a igreja esburacada com a torre inacabada, as flores amarelas e vermelhas confundidas na mesma simetria noturna, alguma coisa estava errada nela ou no mundo, Vitor morrendo, pedindo padre, a família não chegando, parecia um pesadelo plácido, sem angústia, mas pesadelo incipiente, marcado para o grito final. Se houvesse tempo, gostaria de ter acordado antes do fim ou antes de iniciar o pesadelo, iria agora, até o último lance, por curiosidade, vontade de sofrer talvez, para o despertar recuperador, ou quem sabe, despertaria antes do fim, talvez na hora do grito, o grito que sempre acorda do fundo dos pesadelos, grito que ressoa no escuro subsolo dos sonhos e nunca vem para fora, grito que finalmente não daria, apesar do policial apertar o porteiro do edifício para confessar que ouvira o grito, que talvez tenha parecido gargalhada.

Gargalhada deu Marcos lá embaixo, quando soube que teria uma operação de emergência para a noite, gargalhada de raiva, atrapalharia a ceia, a galinha tomando gosto nos temperos da cozinha, as cervejas gelando. Sentiu-se impotente diante de tudo isso, e ria de sua própria impotência.

Impotência de padre Mateus dobrando no corredor, olhando fixamente o retângulo de bronze em cima da porta, "602", antes de abri-la. Ali pediram um padre, ali padre Lucas vencia o poderoso e inatingível inimigo.

Raquel viu o padre moço, de olhos baixos, empurrar a porta, trancar-se lá dentro. Sentia-se preciosa sabendo que dois homens falavam dela, um com remorsos, após tê-la sugado, imaginava a voz de Vitor contando os inícios do caso, atribuindo-lhe maldade talvez, ou sedução. O outro imaginaria Raquel como mulher fatal e diabólica, capaz de arrebatar os infernos. Absolveria Vitor em nome de Deus que fora pregado na cruz, pregaria água-benta em cima do corpo de Vitor, corpo que ela tantas vezes beijara e que breve os vermes comeriam. Repugnada de si mesma, viu o padre abrir a porta, importante, como se o sagrado que ouvira inchasse em seu peito, precioso como um tesouro.

Do lado de fora a turma da cirurgia esperava. A maca pronta, ouvira a pesada porta correr sobre os trilhos e surgir, como um ventre azulado, a ampla sala de operações.

O padre tentou ganhar o corredor central que daria nos elevadores, mas a maca impediu seu intento. Deu para trás, tentando o corredor afluente. Raquel abandonou o janelão, acompanhou o padre, seguindo-o, sem fazer barulho. A nuca do padre era grossa, sadia, branca, um homem forte e bonito, com toda a certeza. Homem que detestava mulheres, que detestaria principalmente

Raquel, a que perdera o burguês que se retorcia de remorsos, sabe lá o que Vitor não contara, dentro daquela cabeça havia uma Raquel que ela mesma ignorava, uma Raquel vista por Vitor na hora extrema, uma Raquel mutilada ou adornada pela própria concepção daquele homem forte que andava tímido, procurando se orientar pelos corredores que se sucediam.

Foi agressiva. Bateu com a mão em suas costas, quase um bofetão. Mateus virou-se.

— Padre, eu sou Raquel.

"Eu sou o Caminho, a Verdade e a Vida. Eu sou a Morte.", devia dizer. Era mais lógico. O quarto de padre Lucas apagado, a igreja e a casa paroquial imersas em trevas. Qualquer coisa advertia Mateus, alguém velava, à espreita, fiscalizando-o, como um assassino. Nunca chegara tão tarde, passava da meia-noite, tinha missa cedo, Lucas estaria irritado, desejava que voltasse logo, contasse as novidades, o triunfo. Esperou inutilmente, as horas passando, Ismael fechou a casa, apagou as luzes, Lucão talvez enfrentasse a noite insone, queimado primeiramente pela curiosidade, "como foi? Quem foi que atendeu? Falaram em mim?", depois o desapontamento, finalmente a raiva de não ver o coadjutor voltar, passar a noite fora, impossível que simples confissão demorasse tanto, algo não andava bem ultimamente, a rigor, nada andava bem há muito tempo.

Passos no pequeno caminho que leva à soleira da casa paroquial. Mateus orientava-se no escuro, não queria tropeçar no degrau que separa o piso da sacristia com o corredor externo, temia tropeçar, estudava o caminho com a ponta do sapato, concentrando atenção unicamente nos pés, nas depressões do chão. O jato de luz caiu-lhe como uma bofetada em pleno rosto. Ismael, pelo lado de dentro, acendera a luz que ilumina a porta da casa paroquial, Ismael velava, esperava.

Aumentou o passo, agora firme, sabendo onde pisava, a chave na mão. Não precisou introduzi-la na fechadura, a maçaneta girou silenciosamente pelo lado de dentro, a porta abriu um ângulo escuro, atrás dela o corpo de Ismael espremido, só aparecia o lado da pálpebra. No escuro, tendo em cheio a luz que vinha de cima, Mateus estremeceu de repente. A cara de Ismael o assustou, a pálpebra talvez estivesse mais escura que o habitual, ou não seria a pálpebra, procurou firmar a vista, pela primeira vez encarou firme o olho aleijado, tremeu outra vez, não havia pálpebra nenhuma, nem olho, era um buraco imponderável em sua negrura, só não lhe metia medo porque o outro olho apareceu de repente, vermelho, obsceno, o riso era um esgar, onde Ismael buscara expressão tão diabólica e indecente, por um instante pensou que o empregado fosse agarrá-lo, possuído por perverso fogo, o lábio tremia em deboche, Ismael um viciado, iria agarrá-lo, possuí-lo quem sabe, ou obrigá-lo a que o possuísse, lembrou as pequeninas, insignificantes complacências do outro, aquele olho sem pálpebra fulminando-o como um raio do inferno de trevas, o outro bem humano, zombeteiro, mole, repugnante, um viciado que o esperava a noite inteira, não suportara o fogo infernal que o queimava por dentro, suas mãos já se mexiam, já se atiravam para agarrá-lo, talvez aquela boca imunda e cheia de vícios quisesse beijá-lo.

— Ismael!

A mão correu ao longo da parede pelo lado de dentro e virou o interruptor. A luz explodiu no vestíbulo, a figura de Ismael apareceu inteira, normal, a cara de sempre, o olho triste e submisso virado para baixo, a pálpebra imóvel, a boca no mesmo rito plácido, humilde.

— Estava preocupado, padre.

Mateus procurava se refazer do susto, tinha o coração aos saltos, não podia encarar Ismael, receoso de que o empregado notasse sua confusão, percebesse seu equívoco.

— Guardei ceia para o senhor. Esperamos até tarde para o jantar. Padre Lucas jantou sozinho, subiu logo, mas eu guardei alguma coisa.

— Obrigado, eu já...

A voz saiu num arranco, as palavras vacilantes, num sopro que espantou o próprio Mateus. Ismael percebeu a hesitação, encarou-o aflito, submisso, olhando fundo nos olhos de padre Mateus, olhar profundo, sereno, que não meteu medo mas confundiu-o mais ainda. "Ele percebeu, ele notou que tive medo dele. Pensará que o temi por receio de crime, ou desconfiará de que eu o temi por outra coisa?"

Os dois homens em silêncio, Ismael olhava tão humilde que se não fosse isso, pareceria que estavam se estudando.

— Obrigado, Ismael — a voz agora saiu forte, firme, embora falsa —, eu já ceei.

Ismael abaixou a cara. Mateus não notou o olho único a brilhar, "ceara com o adversário, padre Lucas vai ficar furioso quando souber", o olho de Ismael brilhara, seus lábios esconderam o riso mau que Mateus não adivinhou, já tranquilizado diante do ar submisso e habitual do empregado.

— Que horas são, Ismael?

— Passa da meia-noite, padre. O senhor veio tarde, já estávamos preocupados.

— Padre Lucas falou alguma coisa?

— Não. Esperou pelo senhor para jantar, depois comeu sozinho, olhando o relógio a toda hora. Subiu, custou a desligar a luz, talvez ainda não esteja dormindo...

"Esse camarada fiscaliza e sabe de tudo." Mateus irritou-se secretamente contra Ismael. A desconfiança que o invadira lá fora, a de que Lucas não dormia, esperava por ele, para saber a que horas chegara, o que fizera ou deixara de fazer, essa mesma desconfiança tivera-a o empregado, gratuitamente, era coisa que não lhe dizia respeito, o que tinha Ismael de se meter na vida dos padres, era um empregado, tratasse de suas obrigações.

— Posso ir deitar, padre?

Mateus ia responder-lhe mal, como merecia, pela indiscrição. Mas pensou no susto na porta, a cara fantástica e diabólica que o recebeu no escuro, o riso zombeteiro, o olhar de provocação, a boca repugnante e mole de viciado, fora impressão apenas, de qualquer forma não desejaria repetir a visão, constatou que nunca mais olharia Ismael como antigamente, aquele olhar geral que o abrangia todo e não lhe ofendia a pálpebra fechada, descobriu mesmo que jamais olharia Ismael de frente, olho no olho, mesmo sabendo-o humilde, submisso, tranquilo.

— Pode. Obrigado pela atenção.

Subiu as escadas na ponta dos pés, Lucas velava, devia subir fazendo barulho, dar a entender ao outro que sabia, que tinha consciência de que era fiscalizado. Preferiu subir normalmente, como sempre o fizera, silenciosamente, era parte de seu rito, rezar missas, ler no breviário os dias, guardar a castidade, não incomodar os outros, obrigações assim trazia-as cravadas na carne, ele as cumpria sem amor, maquinalmente, tanto fazia rezar missas ou não cuspir no chão, era parte de seus deveres, dava conta deles, havendo ou não havendo Deus daria no mesmo, ninguém teria nada contra ele.

No patamar superior olhou a porta que escondia o quarto de Lucas. Porta fechada, apesar disso Mateus a trespassava com o olhar, como se ela fosse de vidro, e via as trevas do outro lado, a cama de madeira, escura, sem colchão, um asceta dormia nela todas as noites, mas o asceta estava furioso, os olhos acesos, queimado de curiosidade, queimado de indignação por sabê-lo até tão tarde na rua, e querendo saber detalhes de sua ida à Ordem, desejando gozar até a última gota seu triunfo.

Só quando apagava a luz, já vestido no pijama que havia herdado do pai — após a morte do velho descobriu que, afora a mania das sacristias, tinha a dos pijamas, dezenas deles amontoados numa enorme gaveta, e feitas as contas, pagas as dívidas, foi mesmo a única herança que lhe sobrou — reparou no relógio: meia-noite e quarenta. Poucas vezes em sua vida recolhia-se tão tarde, tinha a missa das seis, Lucas celebraria a das oito, às vezes trocavam de horário, padre Lucas preferia a missa matutina, quebrar logo o jejum que o incomodava apesar dos anos de hábito, Mateus dormia até mais tarde, ficava com a das oito, mais concorrida, com maior número de comunhões. Mas havia um casal que encomendara missa de ação de graças pelas bodas de prata, era amigo do padre Lucas, velhos paroquianos, teve mesmo de ficar com a missa das seis. "Pouco mais de quatro horas de sono."

Apesar de saber que teria poucas horas de sono pela frente, pressentia que não dormiria logo, ceara tarde, fora dos hábitos, sentia um peso dentro do estômago, até mesmo um pouco de náusea provocada pela excessiva gordura com que a ceia fora preparada, mais a cerveja, depois o susto na porta, o calafrio diante da cara diabólica de Ismael, avultando como um demônio na escuridão do vestíbulo. Mateus virou de bruços para espantar a náusea, não gostava de vomitar.

De bruços, o calor subiu pelo sangue. O corpo comprimido contra o colchão, aquela carne lá de baixo tentava crescer, contorcendo-se, procurando caminho para inchar. Jamais dormia de bruços por causa disso, tinha poluções, acordava agoniado, suando frio, sentindo o visgo escorrer pelas coxas. Porco tributo que pagava à sua castidade de homem forte, saudável nos músculos, não fosse aquilo e seria um exemplar de normalidade. Sabia que os doentes iguais a ele sofriam frequentemente de excitações, de admirar que sua vida corresse plácida sob este aspecto. Afora os princípios da mocidade, e uma ou duas vezes em que involuntariamente se expusera, era raro ter apelos angustiados ao pecado da carne, o seu corpo pouco lhe exigia os gozos proibidos pelo seu estado. O diretor espiritual de seus tempos de seminário a princípio não acreditou, forçava Mateus a confessar que era como todos os outros, assaltado frequentemente por desejos carnais, por apelos ao vício solitário. Só depois de muito tempo, e de muito estudar o caráter e as reações de Mateus, chegou a admitir, "há um sexo neutro", foi o que disse, "o sexo dos anjos, você pertence a esse tipo, não lhe será difícil manter a castidade aqui dentro ou lá fora".

Não fora difícil, verdade, afora duas ou três pequenas distrações em sua vigilância. Mas as poluções vinham independentes da vontade, o perseguiam com certa tenacidade, qualquer excitação do dia cobrava à noite uma poluição abundante, a princípio acompanhada por pequeno estremecimento de prazer, ultimamente, máximo após a repetição dos ataques, com a sensação dolorosa que o fazia gemer em meio ao sono e acordar lívido, o coração na boca, como num pesadelo.

Preferiu a náusea, virou-se novamente, enfrentou o teto, procurou respirar ritmicamente, em haustos profundos, espantava náuseas assim, inflando os pulmões de ar, controlando os movimentos do diafragma, cinco minutos de exercício o aliviavam.

Sentiu-se ridículo respirando fundo no meio da escuridão do quarto, o teto cortado pelo tênue filete de luz que vinha de remota lâmpada do morro, intermitente, a árvore intermediária afogava-a e ressuscitava ao sabor do vento, às vezes acordava no meio da noite e no primeiro instante se assustava com as bruxas escuras e rápidas que escorriam pelo teto.

Imaginou o riso de Marcos ou de Raquel se o vissem assim. Capaz dos dois estarem juntos agora, Marcos espremeria o frágil corpo de Raquel contra a cama imunda que lhe servia de leito nos fundos do hospital, Raquel gemeria, arqueada, talvez nem sentisse prazer.

"Como seria o prazer da mulher?" Mateus sabia as teses da união hipostática entre Deus e o homem, conhecia a doutrina da comunhão do Corpo Místico de Cristo, mas não sabia o que sente a mulher nem o homem na união comum, na comunhão da carne com a carne. Qualquer crioulinha, dessas que subiam o morro com latas d'água na cabeça, sabia mais que Mateus.

"Talvez ela não sinta prazer nenhum, no estado em que está não poderá sentir nada…" Raquel estava histérica, o álcool despertara-lhe histeria, apenas isso, a morte do amante lá em cima, o futuro repentinamente sombrio, bebeu, aquilo tudo era nervoso, nem maldade, nem sexo.

E Marcos? Lembrava-se da cara que julgou imponente quando o viu cruzar o corredor do hospital em passos contrariados, em direção à sala de operações. Raquel levara-o para o canto do janelão, contava-lhe uma história comprida, sem sentido, parecia louca, não entendia ou não aceitava o repúdio do amante na hora final, seu desapontamento vinha através da corrente de palavras sem nexo, ele ouvia, mas com os olhos reparou os braços cabeludos e livres do médico, a maca onde Vitor era conduzido, como um pão comprido e branco para o derradeiro forno. Percebeu o médico aborrecido, julgou que fosse pela operação em si, depois soube, era pela ceia ameaçada, o contratempo.

Raquel estava em Porto Alegre ainda, contava gratuitamente os primeiros tempos, Mateus não tinha nada a ver com aquilo, o que Vitor contara lá dentro não fazia sentido com o que Raquel contava, mas tinha um jeito de escutar que encantava os outros, dava a impressão de compreender o subsolo das palavras e dos gestos, todos se julgavam finalmente compreendidos, e Raquel em Porto Alegre era uma adolescente que estudava arquitetura, ia para as aulas com os cadernos pendurados num cinto de couro, os cabelos soltos, Vitor passava de carro, levava os dois filhos para o colégio, oferecia carona, levou-a um dia para um lugar distante, o beijo, a paixão, a fuga.

Marcos foi o primeiro a sair perguntando pela família, a família tinha chegado há pouco, do aeroporto haviam telefonado, o porteiro veio avisar, "as pessoas que a senhora esperava chegaram agora, estão a caminho", Raquel disse para o médico que a família estava a caminho, mesmo assim ele se desculpou:

— Fiz o que foi possível. O coração não aguentou.

Logo a imensa porta da sala de cirurgia se abriu, o ventre azulado, aberto como um açougue, freiras arrumavam lençóis em torno do corpo, os cilindros cromados da anestesia corriam nos carrinhos para junto da parede, Raquel foi ao 602, apanhou a maleta, Mateus, espantado, olhava Marcos, as mãos que haviam penetrado num corpo humano buscando vida, a morte chegara quando aquelas mãos reviravam carnes mais vivas, a última contração de vida talvez comprimisse aqueles dedos, Raquel olhou para os dois homens, riu, idiotamente:

— Estou livre. Qual dos dois me quer?

Marcos olhou para Mateus, penalizado, Mateus fez sem querer ar carinhoso, como que tutelando a partir daquele instante a loucura de Raquel. Assim o entendeu Marcos, instantaneamente viu desaparecer de dentro de si a surda irritação pela contrariedade que não esperava, a ceia estragada, não gostava de morte, principalmente à noite, desceria agora a seu quarto solitário, comeria a ceia sem sabor. As contrariedades todas estacaram subitamente diante do riso de Raquel, "qual dos dois me quer?". Sentiu-se terno, paternal, invejou o padre, que não era obrigado a meter a mão em defuntos, ver como são os mortos por dentro, nada com a nudez da morte, tinha paciência e tempo, obrigação talvez, de proteger, amparar criaturas frágeis e desesperadas como Raquel.

— Tenho ceia no meu quarto. Se o senhor quiser ir, está convidado.

Mateus pretendia recusar, não entraria em intimidades com ninguém da Ordem, solidariedade a padre Lucas. Raquel segurou Marcos pelo braço:

— Aceito. Já não posso recusar as ceias que me oferecem.

Mateus hesitava. Raquel pegou-o também pelo braço:

— Venha.

A freira passou ao longe e mesmo sem olhar ficou escandalizada com a intimidade de Raquel com o padre. Mateus despegou-se, sorriu acanhado, mas aceitou.

Nos fundos do hospital, o quarto de Marcos era uma pocilga. O assoalho do andar de cima servia de teto, pó nas frestas, teias de aranha, um cacho de bananas bem na entrada, pendurado do teto, amadurecendo, Mateus bateu com a cabeça, o cacho ficou balançando, como pêndulo monstruosamente disforme, fazendo sombra na parede encardida. Cama coberta com ordinário cobertor de algodão, indefinível cor, duas barras vermelhas salientes. Travesseiro sem fronhas, a pequena mesa ovalada do centro atulhada de papéis empoeirados, amostras gratuitas, prospectos de propaganda, um avental sujo de sangue, o chinelo esfiapado. Com safanão brutal, Marcos derrubou aquilo tudo, com o pé amontou no canto. Abriu o armário, tirou lençol limpo, estendeu-o sobre a mesa.

— Vou buscar os pratos.

A fraca lâmpada afogada num canudo de papelão de caixa de sapato derramava a luz miserável, os cantos do quarto guardavam sombras, o cacho de bananas oscilava ainda, como aranha gigantesca e negra. Raquel olhou triste para tudo, sentiu sua ceia sórdida naquele ambiente, presságio de sua vida que começava agora sem amante, sem conforto, sem teto talvez. A maleta caiu no chão, como objeto inútil, ou como se ela fosse morar eternamente ali. Deitou-se de bruços ao comprido na cama, e de repente as espáduas tremeram, como as de um animal cansado. Mateus reparou friamente o corpo estendido, jovem, a saliência das nádegas, o peito sacudido por soluços, cabelos esparramados pela nuca, a cara afogada no travesseiro sem fronha e sujo.

Procurou um banco, havia um, com a travessa cheia de bananas maduras, algumas já podres, escuras e moles. Colocou a travessa no chão, sentou-se. Raquel parara de chorar, tirou de dentro da blusa um lenço, voltada para o lado da parede enxugou os olhos, assoou o nariz. Levantou uma perna em ângulo, ficou a abaná-la, a saia correu e mostrou um pedaço do joelho, e início da coxa, branca.

— Sou uma idiota, padre, uma grande idiota!

Mateus nada tinha a ver com a idiotice dela, manteve silêncio, olhando vazio para as sombras do quarto, o cobertor miserável onde o corpo de Raquel se afundava, o pedaço de carne branca destacando-se como um pedaço de mármore lavrado num monte de cinzas apagadas.

Raquel pensou que Mateus concordava, sim, uma grande idiota:

— Vou me prostituir!

De um salto subiu na cama, levantou a saia, mostrou duas pernas bem-feitas, frescas, a calça de seda verde marcava o início das ancas com mornidão brutal. Mateus olhou, o mesmo olhar vago e geral com que olhava Ismael sem lhe fitar a pálpebra escura, embora vendo, sentindo a pálpebra. Viu a brancura das carnes, o escuro daquela pálpebra cerrada sombreando a saliência de seda verde, como flor oculta, de macias pétalas.

Marcos deixou cair o prato de ágata que trazia pães.

Imenso de coisas, a galinha dourada, as garrafas de cerveja, pratos, talheres, copos, tremeu de alto a baixo, varado, diante da mulher de olhar brilhante em cima de sua cama, as coxas nuas, a calça verde que sobressaía das sombras e vencia a própria nudez das pernas.

Raquel insensivelmente deixou cair a saia, desceu da cama, procurou com a ponta dos dedos os sapatos que largara a esmo, os cabelos caídos para a frente procuravam esconder-lhe a confusão, parecia envergonhada, humilhada.

— Desculpem. Não sei o que faço. Sou uma idiota.

Quem ceiou com mais apetite foi Mateus. Raquel beliscou, sem fome, volta e meia tinha um ataque de riso, virava os olhos, fitava as sombras dos cantos e do teto como se uma plateia ali se encerrasse, aplaudindo-a. Marcos, que morria de fome, que operara pensando na galinha que se enternecera a tarde inteira ante a perspectiva da solitária ceia, mastigava sem prazer o pedaço de coxa, a comida descia difícil, empastava-lhe a boca sem sabor, os lábios mexiam em mastigadas inúteis e desnecessárias, forçando. Quem lhe notasse as mãos hábeis veria que tremiam imperceptivelmente, como que ansiadas.

Raquel, se pouco comeu, bebeu bastante. Esvaziou sozinha uma das garrafas. Mateus tomou meio copo, Marcos o resto.

— Acabou a bebida? — Raquel olhava vidrada para o médico. — Oh, que queria tomar um pifão!

Marcos olhou-a, assustado. Uma louca. As coxas da louca, sentada agora no pequeno banco, não pareciam possuir a carnação brilhante que vira há pouco, em sua cama. Nunca possuíra uma mulher assim, as vagabundas que frequentava eram sujas, magras, proeminentes e caídos ventres, dentes estragados, não era homem de conquistas, colegas davam em cima de clientes, ele não tinha oportunidades encerrado o dia inteiro no hospital, só via a cliente já na mesa em ângulo, como num talho.

— Tenho vinho de maçãs, antigo…

Lembrava-se dele agora, presente de não sabia mais de quem, a garrafa mofando num canto qualquer, o rótulo ordinário.

— Que *venga el viño*!

Mateus terminava, tomou um último gole de cerveja, já quente então. Devia ser tarde, padre Lucas estaria preocupado com sua demora.

— Não, o senhor não vai embora, quero me embebedar, quero um padre perto de mim, também tenho direito, não?

Raquel fitava-o provocadoramente já bêbada. Histérica e bêbada. Marcos abria a garrafa, nos dentes fortes que seguravam a apodrecida rolha como tenazes. Um vinho grosso, espesso, grosseiramente perfumado, correu num copo embaciado ainda por restos de espuma de cerveja. Raquel bebeu-o num gole, fez careta:

— É muito doce!

Marcos enchia novamente o copo. Raquel tinha agora um vulcão por dentro, cujas lavas ameaçavam escorrer de seus olhos injetados e crescidos. Jogou o vinho pelo chão, Mateus viu o rio avermelhado-escuro correr sob seus pés, temeu o ataque, a poça azul no escritório, a água deslizando sob seu corpo pousado na canoa, agarrou a faca com força, o médico viu o gesto.

— Que foi, padre?

Pálido, Mateus deixou cair o talher sem barulho.

— Quer me matar? — perguntou Raquel colocando a cara junto ao rosto de Mateus. O bafo de vinho deu-lhe repugnância, e, ao mesmo tempo, desejo. O vinho aquecia as carnes de Raquel, Mateus sentia seu calor entrar-lhe pelos poros, em algum remoto ponto do corpo havia um contato mole, com algum outro remoto ponto do corpo de Raquel. Mateus olhou-a, a pálpebra sombreando a calça verde, o ataque que esperara e não veio, veio outro, as frontes molhadas, o sangue estourando nas veias, não sabia qual espécie de ataque era pior.

— Vou-me embora.

— Fica, fica, quero um padre para meus últimos momentos, tenho a impressão de que vou morrer cedo, muito cedo e muito breve. — Raquel completamente bêbada, ostensivamente histérica.

Segurou o copo vazio, levantou-o acima da cabeça:

— Viva a morte!

O braço tocou no canudo de papelão, desta vez foi a lâmpada que entrou a oscilar, ressuscitando fantasmas pelas paredes embaciadas, o cacho de bananas já imóvel tornou a crescer, disforme, a enorme aranha escorria pela parede, quebrava na junção do teto e o afogava com seu corpo de monstro demente e inexorável.

Mateus surpreendeu o olhar faminto de Marcos, devorando Raquel em silêncio. Deixaria os dois, iria embora, fizessem o que quisessem, podiam.

Ia levantar, mas Raquel segurou-o pela nuca. Sentiu o gosto do vinho em sua boca, dentes arranharam sua língua, o sopro quente de animal penetrou-lhe até o fundo da carne, uma coisa mole embaciou seus lábios, sugados, possuídos.

A aranha no teto tremeu e Mateus se assustou, não era a aranha disforme do quarto de Marcos, apenas a sombra de imprecisa árvore cortando a luz distante do morro. Acordou a tempo de perceber com lucidez a poluição, o sêmen inútil a escorrer por sua carne, sem prazer, com um pouco de dor.

— Imundo! Imundo!

Virou de bruços, podia descansar agora, não veria as sombras bruxas do teto, repeliria a náusea que voltara com a lucidez, nem temeria a flor inchando de seu corpo, um inseto procurando luz.

Pior é que teria de acordar mais cedo agora, lavar o pijama, trocar os lençóis. Sentiu-se miserável, como uma mulher menstruada.

Procurou tirar a figura de Raquel que se metia entre seu corpo e o colchão, a ceia que lhe queimava ainda no estômago, a respiração de Marcos descontrolada, o chão sujo de vômito, na boca o cheiro da boca de Raquel, gosto de carne em todo o corpo, dentro dele um sabor azedo, igual a vômito. "Se ao menos eu tivesse fé!"

Haveria significação, então. Significação para Raquel, para o vômito, até para a poluição que ardia em sua carne e escorria, como lesma, pela coxa.

— Um porco, um imenso porco. Este é o meu sangue que por vós e por muitos será derramado para a remissão dos pecados, tomai e comei, tomai e bebei, bêbada Raquel, gosto de vômito na boca, caiu de bruços na cama, a cara para o lado, o vômito foi um facho multicor, empoçou no chão, o olho tremeu, o estômago treme, mexendo, a carne sem sentido, esta é a minha carne, não, não é assim, este é meu corpo, tomai e comei, a cerveja, o gosto de vinho na boca de Raquel, a aparição sinistra da porta, Ismael emprestara a pálpebra escura ao demônio para assustá-lo, e a polução escorrendo, sentia-se viscoso como fruta em calda, vou ao banheiro, e porque não és frio nem quente eis que começarei a vomitar-te da minha boca, e isso disse ao anjo da igreja de Laodiceia, o anjo vencendo o demônio de incandescentes olhos sem pálpebras escuras como as de Ismael, oh, Ismael, quiseste me beijar a boca, beber nela o gosto da boca de Raquel, quiseste roubar-me a inocência, possuir-me à força ou por prazer, oh, Ismael, conheço a tua cara e a tua pálpebra, o demônio tinha a mesma cara, afora a pálpebra e teus olhos seriam incandescentes como a carne de Raquel que me entrou pela boca com gosto de vinho podre, acendeu a luz do banheiro, o vaso branco, distante, chegando, chegando e subindo até crescer enorme, imensa boca branca, e o fogo desceu do céu para purificar a terra, o vômito escorreria por podres esgotos, se ele acreditasse, se ele acreditasse, oh, Ismael de escura pálpebra, oh, Ismael de incandescentes olhos, me dá Raquel, o alívio que chegava sucedendo a náusea pedia impossíveis carícias, sentia-se frágil e enternecido, quisera possuir Raquel agora, faria como todos os homens fazem, desvendaria a pálpebra silenciosa e escura e seu sêmen escorreria dentro de Raquel, penetrando-a sem nojo, sem dor, oh se acreditasse, se acreditasse que podia pecar, se acreditasse no perdão, na misericórdia, mas não acreditava em nada, nem pecar podia, o homem só e sem fé, prisioneiro de si mesmo, deus de si mesmo, pairando eternamente na treva, densa treva que caiu brutal, como uma bofetada, a luz do banheiro apagou sozinha?

Viu o vulto de Lucas que a escuridão tornava imenso e impenetrável marcar a moldura da porta, após ter desligado a luz:

— Não quero porcaria aqui!

Lucas não precisava de luz, tinha fé, acreditava, vivia bem entre as sombras que lhe escondiam os ganchos da mão e os aleijões da perna. Mateus tateou no escuro, deve ser dia, quase, daqui a pouco vem a missa, estou sujo, imundo, subirei ao altar de Deus, do Deus que alegra a minha juventude. Caiu de borco na cama e sentiu sua alma, passiva alma, através de passivas noites, pairando sem redenção sobre pântanos crucificados.

***

A maltratada sala, o dia lá fora corria tranquilo, embora tumultuado ali dentro. Guardas passavam, apressados, o telefone tocava sem interrupção. Marcos tumultuado também, desde a manhã vivia fora de hábitos, mesmo levando em conta os seus últimos dias, suas derradeiras horas.

Tomara café na esquina, em pé mesmo, descobrira estupefato que há dois dias não comia nada, isso o alarmaria antes daquela noite, agora parecia fato banal, olhava o corpo enorme, o jejum involuntário não lhe deixara marcas, não contendo a tristeza, nem o cansaço dos olhos que há duas noites não fechavam para o sono.

Estranhou o rapaz bem-vestido que tomava café a seu lado, apressado também; já o vira na véspera, em qualquer canto da cidade por onde andara desorientado, sem saber o que fazer. Era o mesmo rapaz, não podia duvidar. Que desejaria ele?

A palavra soou como se fosse a primeira vez que a ouvisse: polícia. Tinha na boca o adocicado gosto de café, aquele gosto que exige cigarro, ele não fumava, esquecera-se de adquirir vícios, mas a boca exigia alguma coisa amarga, o doce do café parecia uma escamoteação para com ele mesmo.

Olhou ao longo da rua, arborizada, matinais automóveis demandavam o centro da cidade, não sabia em que bairro estava, provavelmente em algum da Zona Norte, saíra a pé de Copacabana, andara por aí, andarilho de pés recentes e mal-habituados, feridos, não ligava para os pés, o plácido fogo que o consumia não tinha pé. Tinha a rua imensa, infindando-se pelos caminhos do mundo, andava como se quisesse fugir dele mesmo.

Na véspera encontrara o mesmo rapaz, não sabia onde. A noite toda andara, esbarrara em miseráveis dormindo sob marquises, em prostitutas que se ofereciam, em guardas perseguindo malfeitores, em cães abandonados e tristes como ele próprio.

O dia raiara, o bar abrira próximo, entrou maquinalmente, tomou o café, estranhou o adocicado que lhe ficou na boca, sem coerência, como um ultraje ao resto do corpo. E o rapaz agora estava ali, acintosamente à sua frente: atravessou a calçada, embaraçado, parecia constrangido, sem jeito, como se fosse difícil o que ia fazer:

— Doutor Marcos?

Olhou-o estupidamente. O rapaz sabia seu nome, um nome que já esquecera, que parecia não soar no mundo há séculos, do qual nunca mais necessitaria, como se jamais houvesse sido doutor ou Marcos.

— É da polícia, doutor. O senhor está detido.

No mesmo instante, como por milagre, o carro preto virou na esquina, o guarda soltou de dentro, entraram na viatura, o carro manobrou, cortou ruas esquecidas, avenidas que palmilhara em trevas, o leito da via férrea ora à direita, ora à esquerda, andara muito sem saber e sem saber se ia ser preso, não tinha feito nada, todo mundo concordaria com ele.

Sentado, sentiu o cansaço das pernas, os pés feridos, o corpo cobrava tributo ao espírito pervagado por insondáveis brumas. O comissário mandou-o sentar, tratou-o com deferência, era um homem formado apesar de tudo, criminoso formado, isso não fazia sentido, mas apreciou a cadeira, o café que mandaram servir, tomou-o sem açúcar agora, para ver se compreendia o que se passava.

— É verdade que o senhor gosta de bananas?

Verdade. Marcos gostava de bananas, cachos enormes embaixo da cama dos fundos do hospital, amadurecendo. Comia por qualquer motivo ou sem motivo nenhum, para abrir o apetite, para tapear, antes, depois e durante as refeições.

— Gosto.

— Ainda bem — o comissário sorria condescendente —, o delegado mandou que investigássemos tudo. Lá na Ordem me informaram de seu amor pelas bananas...

Aquilo soava distante, falavam de outro Marcos, de outras bananas.

— Sua horta continua bem-tratada, o novo médico-residente também gosta dessas coisas, tomou conta de suas plantações.

O comissário ria, desejoso de atrair a simpatia de Marcos.

"Então fui preso por causa das bananas?" O pensamento soava dentro dele tão ridículo que não teve coragem de expressá-lo. Impossível que o prendessem por tão pouco.

Passava as mãos confusamente pelos cabelos, sentia-se indormido e feio, suas mãos sujas do pó de ruas insuspeitadas que desvendara através de noites que se prolongavam, imunes.

O comissário levantou-se diante do rapaz bem-vestido da véspera e da manhã que surgia, triunfante, ao lado do homem maduro que transbordava mau humor pelo olhar frio, pela boca cansada e sem esperança. Era o delegado.

— Eis o homem.

O delegado olhou-o, fez uma careta, como se pensasse: é impossível.

— É possível!

Os recém-chegados, mais o comissário, encerraram-se na sala ao lado. Marcos teve vontade de cuspir o café sem açúcar que lhe amargava na boca. Levantou-se. O guarda em que não reparara ainda tremeu, colocou-se à sua frente:

— O senhor está preso!

— Eu vou cuspir.

O guarda saiu da frente, Marcos chegou-se à janela, cuspiu para fora, viu a enorme gota de saliva cortar o espaço e se achatar no cimento da calçada, mancando-o, como uma ferida.

Voltou a sentar-se. Tanto lhe fazia agora, em pé ou sentado dava no mesmo. Um guarda passou empurrando dois homens, reconheceu um deles, o porteiro do edifício onde morava Raquel. Do carro que os trouxe saiu um detetive, olhou desafiadoramente para Marcos, desabotoando o paletó, tirando o revólver que colocou em cima da mesa do comissário.

Nunca estivera tão próximo a um revólver. Vira a morte muitas vezes, metera as mãos em cadáveres, em corpos vivos cuja última contração comprimira seus dedos, na semana passada retirara o feto que ele mesmo despedaçara com a cureta, na sequência de seus últimos hábitos. Porém perto de um revólver, aquele ferro preto que causava morte, nunca estivera tão perto.

O comissário voltou com o delegado.

— Lá dentro —, o delegado fez um aceno com a cabeça indicando a sala contígua —, estão interrogando duas testemunhas. — O comissário tossiu, olhando fixamente Marcos. — Vamos desvendar isso ainda hoje, a princípio julgamos acidente, mas o cadáver da mulher apresentou sinais de violência, ela lutou contra seu assassino antes de ser atirada do andar, não é exato?

— É.

O delegado abanou os braços, não era o tipo de assassino que ali estava, matara por amor, qualquer briga, o homem não tinha estofo:

— Daqui a pouco vamos tomar seu depoimento. Quer fumar?

Apresentou o maço de cigarros onde, com um solavanco, fizera aparecer a ponta de dois cigarros.

— Não fumo.

E depois o silêncio.

— Obrigado.

Traziam outro preso, um rapaz alcoolizado, cabelos longos, fedendo a urina.

— O senhor pode passar para a sala ao lado. Daqui a pouco tomaremos seu depoimento. Se cooperar será rápido.

O guarda da porta precipitou-se para agarrar Marcos, mas o comissário afastou-o, ele próprio abriu com solenidade a porta da sala ao lado, como se fosse um contínuo.

— Fique à vontade.

Sala menor que a outra, a série de cadeiras envernizadas ao redor das paredes. Na mesa de centro um catálogo de telefone desfolhado como um repolho.

Preso. Podia andar pela sala, mas deixou-se ficar colado a um canto, como fera acuada, olhando o neutro espaço que lhe mandava as poucas cores do mundo através das cadeiras envernizadas, o teto escurecido, a janela semifechada e triste, onde a nesga do céu acinzentado reverberava o mormaço incômodo lá de fora.

Preso no apartamento de Raquel, ao ouvir a voz do homem no quarto. Raio que o fulminou, em pé, como um bravo. Não chegara a guardar as chaves no bolso, vinha cansado, sentia-se bom chegando em seu lar, como burguês tranquilo, não um homem que fosse visitar a recente amante.

Mas a voz era de homem, não havia dúvida, voz conhecida até, custou a reconhecê-la. Acreditava ter reconhecido no mesmo momento em que deu com o chapéu preto e cheio de pontas em cima do console da saleta:

— É ele!

A voz dele, o chapéu também. Era ele.

A esperança passou-lhe distante e breve pela cabeça ou pelo coração: não houve nada, é conhecido comum, vou abraçá-la, ele veio visitá-la, falaram de mim com certeza. Parou abruptamente, varado, sentindo-se intruso: viu Raquel em cima da cama dos fundos do hospital, demente, possessa, mostrando as pernas. Chegara no instante, deixara cair o prato com os pães, deslumbrado com a carne que lhe transfigurou o imundo quarto. Não reparou na expressão do outro, mas na certa não sentira nada, em criança acreditava que eles eram castrados, sabia agora que não eram, conhecera um que comia até égua, mas aquele não tinha cara disso. Recordava-se de Raquel, bêbada já, pouco antes de vomitar, dando o beijo inesperado por pilhéria, já sem saber o que fazia.

Depois ficaram sozinhos, Raquel dormia profundamente em sua cama, Marcos a seu lado arrumou-lhe o corpo, enxugou-lhe a testa, limpou o chão onde o vômito devolvia o cheiro de vinho apodrecido. Sentou-se ao lado, esperou que ela acordasse.

Foi ao amanhecer. Raquel veio de longe, virou o rosto para o lado, franziu a testa como se a cabeça doesse pelo movimento ou pela bebedeira ainda, a garganta deixou passar um gemido que podia ser de tonteira ou do sono profundo.

Inocentemente, sem segunda intenção, Marcos colocou a mão sobre a fronte dela. Ela sentiu: segurou-a com carinho, acariciou-a, depois abaixou-a até a boca onde deixou os lábios, sem força para consumar o beijo.

Sentiu-se encorajado, levantou-se da cadeira, ajeitou-se na beira do leito, sentindo em suas ancas o peito de Raquel que a respiração fazia-o mais próximo, às vezes. Ela levou sua mão até aos seios. De bruços, o peso de seu corpo comprimiu-lhe a mão. Marcos curvou-se, beijou-lhe a nuca, os lábios trêmulos.

Riu, adormecida. Levantou o braço em curva, passou-o pela nuca dele, atraindo-o, quando o sentiu bem próximo ofereceu-lhe o rosto, olhos semifechados.

Marcos sorveu o mesmo gosto de vinho estragado naquela boca que se abria, passiva.

— Você?

Raquel, espantada, olhava a cara de Marcos e não compreendia. Embrutecido pelo desejo, ele balbuciou, sentindo coisas sem sentido:

— Vem… Vem… Eu te amo…

Ela o olhou, séria, subitamente refeita do sono e da loucura. O dia que nascia além das vidraças iluminou-lhe a sombra triste no olhar:

— Agora tanto faz…

E aceitou-o, total.

Marcos ouvia o carro sair da delegacia, a sirene soava o lúgubre gemido, varando ruas. Foi à janela, o dia acinzentava mais, talvez chovesse para a tarde. Mas o invisível guarda que ficara à espreita apareceu novamente, "cuidado, doutor, a janela é alta!", ele não queria fugir, com janela alta ou baixa não fugiria, para que fugir? Vencer ruas e estradas sem rumo, sem significação, aguardar o cair da noite sem teto que não trazia vontade de ver o raiar do dia seguinte.

Lembrava-se de Raquel dizendo: "tanto faz." Para ele também, tanto fazia. Raquel o tomara por outro, aceitou-o sem amor, por imposição da vida, para substituir o amante que morrera lá em cima e que a repudiara de forma vil. Por isso o pressago chapéu descansava em cima do console. Por isso a voz do homem soava dentro daquele quarto onde há três semanas ele sentia o renascer da vida, onde amava, liberto homem, não mais o cão que dormia na pocilga miserável onde vivera tantos anos. Naquele quarto onde ele substituía, todos os dias, o outro que morrera em suas mãos.

A cara do rapaz da portaria quando viu Raquel amanhecer na soleira da porta do médico-residente! Ao meio-dia estavam os dois na rua, ela nem subira para ver o corpo de Vitor, a família estaria por lá, não desejava ver gente desagradável, e o próprio Vitor era, mesmo antes de morto. Desagradável também. O provedor chamou-o, a descompostura, "um devasso", "trazendo mulheres públicas para dentro da Ordem", uma imoralidade, rua, despedido como um cão e como um cão enfrentaria as ruas.

Raquel foi quem fez o convite: tinha apartamento, vivera sempre só, afora as esporádicas temporadas com o amante. Quebrara a tênue casca de pudor com aquele homem, já não lhe era estranho à carne, ofereceu-lhe o lugar vazio no apartamento e na própria carne que ele amou com furor logo ao primeiro assalto de desejo.

E as semanas passaram, alegres, Marcos descobria o mundo diverso das bananas, dos pés de feijão, das operações em que não ganhava nada afora o ignominioso salário da Ordem, quase igual ao dos porteiros. Quis fazer dinheiro repentinamente, gozar a vida que se abria bela à sua frente, aproveitar a mulher que o aceitava, a quem ele amava sobre todas as coisas. Quem lhe deu o conselho foi um dos médicos de prestígio da Ordem: "tente a curetagem." Com a mão privilegiada seria fácil. Segurança para todos, de mãos assim é que o ramo precisava, muito barbeiro se metia nisso, afora os charlatões, as curiosas.

Arranjou-lhe a primeira freguesa, cobrou alto o primeiro aborto, mais alto o segundo. Com duas curetagens por dia poderia viver folgado, tranquilo, pensava em mudar de apartamento, abandonar a condição de inquilino de Raquel, montá-la com luxo e maior conforto, que aquele dado por Vitor, como a uma prostituta. Faria dela sua esposa, ela o merecia.

Pois vinha de um aborto perigoso, a mulher tentara antes com uma curiosa, quase morrera, a hemorragia não estancava, suspeitas de infecção, Marcos passou a manhã e a tarde ao lado da mulher, voltava cansado, mas o dinheiro no bolso, iam cear fora, em bons restaurantes, e antes da ceia veria Raquel tomar banho, preparar-se, tornar-se bela, botar uma daquelas calças de seda, uma de cada cor, que o entonteciam brutalmente. Cevado, iria a jantares, a teatros, na volta ela seria novamente sua, cobrava os atrasados anos de solidão, de amor inútil pelas bananas, pelas operações sem glória.

A calça de seda, uma de cada cor. A vermelha para aqueles dias, a verde quando estava aborrecida, a preta quando tinha fome de homem. A calça preta jogada na poltrona ao lado da cama, a preta sim, embora próxima a um pano enorme e preto. Reconheceu; o porco a jogava fora, ia para a cama gozar a mulher dos outros, uns safados.

O arrepio correu-lhe a espinha. A chuva começava, ele se afastou do peitoril. O guarda sossegou, voltou à porta, daquela janela já haviam se atirado alguns presos, uns tentando a fuga, outros a morte, a culpa era dele depois.

Sentou-se em qualquer cadeira das muitas que contornavam a sala. Raquel saiu do leito e procurou em torno do quarto. Não estava nua, a combinação cor-de-rosa deixava ver a carne, os seios, a carnação das nádegas esplêndidas. Apanhou a calça, vestiu-a, ridícula vestindo calça, não se sabia observada de outro ângulo, Marcos odiou-a e desejou-a apesar da atitude ridícula. "Você não existe!"

Ouvira bem, fora isso que Raquel dissera, em direção ao homem que continuava deitado no leito. Viu então o corpo branco — como eles são brancos! — surgir pela metade. "Você não entende!"

Não existe, não me entende, duplas negativas que formavam a afirmação evidente.

Quase resolveu aparecer no meio dos dois, acabar com a discussão, reconciliar a mulher e o homem. "Antes o tivesse feito!"

Ali estava, solitário, preso como criminoso. Arrependia-se da perversão de ter continuado oculto, de ter assistido passivamente ao resto.

Ela o exigia, ele se levantou, só lhe via o busto nu e branco, vestia calças pretas, ridículo também naqueles trajes, eles são gozados por dentro.

Raquel abraçava-se nele, colando seu corpo no dele. Viu quando a empurrou com força, ela caiu no chão. O homem caminhou até a poltrona, ia apanhar sua roupa, apanhou antes o livro que estava por cima dela. Vindo por trás, Raquel segurou-o, o homem voltou-se rápido, ameaçou-a com o livro, mas ela o tomou das mãos num gesto rápido, após ter arranhado o branco peito com unhas que se cravaram, fundas.

Correu depois para junto da janela que nascia quase rente ao chão, protegida apenas pela frágil grade de ferro batido. "Sejamos adultos!"

Marcos prendia a respiração, imóvel no seu canto na delegacia. Imóvel na saleta, sentia-se repugnante pelo que estava vendo, sem coragem para interferir, só não se desprezava completamente porque Raquel estava sendo mais vil que ele.

Foi como um raio. Ele avançou para ela. Raquel ria, oferecendo-lhe com ar de zombaria o livro arrebatado, como a tentá-lo que fosse buscá-lo. No edifício em frente a luz do anúncio cortava o fundo da janela e atravessava a combinação de seda marcando-lhe o corpo inteiro. O homem avançava, pela nuca podia-se notar a decisão com que andava, qual fera pronta para o bote final.

De um salto tomou o livro. Ela prendeu a mão em alguma coisa que se desprendeu do livro. O homem atirou-o ao chão e continuou a avançar, decidido, a nuca imóvel. Ela mostrava à altura do rosto uma coisa vermelha, pequena. Quando o viu próximo cerrou os olhos e abriu a boca, pedindo, Marcos lívido no fundo da saleta e o endemoniado homem segurou-a pela cintura, apalpou-a toda, ela gemia.

Não viu se a nuca tremeu. Nem ouviu o grito, lembra apenas o diáfano da combinação sumir na treva, azulando uma última vez ao reverbero do anúncio luminoso.

O homem caiu ao solo, torcido como uma serpente, a se enroscar nos pés da cama, como um demônio possuído por insaciável e eterno cio.

Caiu na cadeira envernizada da delegacia. Desde a noite fatal procurava não lembrar os pormenores todos, esforçava-se para pensar em compromissos, seus tempos de menino, alguns estudos que poderia começar, espantava as recentes lembranças como moscas impertinentes que o quisessem devorar com suas garras minúsculas.

Chaves ainda nas mãos, voltou, abriu a porta, desceu no elevador que ainda estava parado no mesmo andar, atravessou a portaria deserta, reparou na cadeira de lona que o porteiro usava para passar a noite, abriu o portão do hall, ganhou a rua, venceu a noite, passou sem olhar pelo corpo de Raquel, sem perceber que o salto do sapato pisou no pequeno filete de sangue que começava a escorrer da boca que beijara cheirando a vinho apodrecido, ganhou a zona da rua mais escura, onde faziam um grande edifício, viu o homem sair correndo lá de dentro em direção ao corpo, venceu a zona escura, um remoto gosto de bananas subiu de sua boca, gosto puro, com cheiro de terra, não gosto fermentado de vinhos apodrecidos por bocas de carne que matavam e morriam, virou a esquina, a outra rua era iluminada e alegre, no bar aberto um bêbado cantava em inglês, sentiu ternura por aquele bêbado que não conhecia. De quem nunca ouvira a voz que o alegrou repentinamente, como se se apagassem dentro dele aquela luz azul do anúncio que cortou a combinação de seda dissolvida na treva da janela, atravessou a calçada, um carro que passava deu-lhe a vontade estúpida, podia ficar embaixo e acabaria com tudo, não teria de amargar o retorno a uma outra qualquer pocilga de hospital, a operações sanguinolentas, a talhos em carnes putrefatas, a combinação que sumiu no vácuo abria outro impreenchível vácuo que dentro dele ficaria, como gema dentro do ovo, sem rupturas, a menos que rompesse o ovo, mas o carro passou e ele já caminhava na calçada oposta, o bêbado cantava agora um hino religioso, ele era lerdo de gestos e passos, mas o revólver estava em cima da mesa, abandonado ainda, mesmo assim avançou rápido, empurrou o guarda que estacionara na porta que dividia os dois aposentos, apanhou o revólver, colocou o cano na boca, a última coisa que sentiu foi o gosto de aço misturado com pólvora, depois um remoto gosto de banana e sangue.

Segunda parte

O deserto sobre todas as coisas

Repara: o homem envolto em trevas põe a mão em concha e risca o fósforo. Ao romper da chama, o rosto toma dimensões sinistras. Não se veem os olhos; o homem se curva, como se orasse, ou se adorasse a estremecida deusa que dança — azul e rubra — sobre seus dedos.

Repara: ele se ajoelha, em breve sua oração subirá, incenso fantástico que avermelhará os céus, abrasará corações, purificará mãos assassinas.

Não o deixem: ele se abaixa cada vez mais, como se procurasse um diamante no chão escuro, infla as carnes da boca, o sopro solta em prolongamento de imaterial língua que vai vivificar a chama.

Ninguém o vê: apenas ele vê a todos. Sente o calor se extinguir de suas mãos, mas do monte de papel à sua frente começa a se evolar a fumaça que não o sufoca. Ei-lo: é íntimo das chamas, irmão do braseiro, carne e sangue do fogo, de malditos ventres herdou trevas que não se dissiparão diante da luz.

Atentai agora: está de quatro, animal em guarda, desafiando ondas de fumaça que não lhe queimam os invisíveis olhos e escorregam, nuvem em ascensão. Ele sorri, a boca escura retorceu-se no esgar obsceno que lhe substitui o humano gesto do riso. Sabe que ali sob a nuvem que sobe, sob o papel que estala, seu irmão de carne e sangue devora aos poucos o pequeno monte que rápido se desfará em ruínas, e as primeiras labaredas surgirão, imensas, lama subida dos infernos em busca do céu sem estrelas.

Agora: está de pé, contempla sua obra, tem a seus pés o pequeno fogo, como se seu escravo fosse, gigantesco ídolo diante do qual temerosas mãos erguessem inapagável pira.

Ninguém sabe o que fará ainda: já o fogo se insinuou, insaciável serpente, pelas frestas do assoalho. Já a madeira estala, vergada ao peso de escuros móveis que em breve darão apoio a que a língua de fogo se insinue e suba — enroscada hera — até os cimos. Se tivéssemos ouvidos atentos, nem assim ouviríamos sua gargalhada. A cova aberta onde humanos têm a boca não solta um grito: é oca a caverna, desabitada de sons.

Já a fumaça tomou o espaço, mal se lhe pode ver o vulto infernal que se tornou diáfano, dissolveu-se no fogo — parece —, mas ele ali está, o íntimo das chamas.

Nada mais se poderá fazer. O fogo subiu, expulsou a fumaça para os altos, se agita, touro selvagem escoiceando paredes que se derretem engolindo móveis que gemem — é o único som que grita, o único vulto que dança.

Prossigamos. Infinita é nossa impotência: nada mais se poderá fazer.

"Se cair temporal, vai haver estrago!" Padre Lucas guardou a bengala de osso no canto do quarto e, apoiando-se na mesa do centro, conseguiu chegar ao leito sem muito esforço: apesar do deslocamento, a perna aleijada ficou imóvel.

Sentou-se na cama, gemendo. Os ossos mutilados, da mão e da perna, pressentiam o temporal. Qualquer alteração no tempo, e as dores voltavam, como se recentes. Os três dedos amputados deixaram-lhe aqueles nós anquilosados, transformando a mão direita na garra avermelhada e rude, onde os dedos restantes — o polegar e o mínimo —, pelas solicitações inesperadas que passaram a ter, foram se transformando, grossos e ágeis, em dois bichos independentes de seu controle e de sua carne. Não pareciam dedos, mas monstruosas pinças, separadas pelos cotocos arroxeados que ameaçavam sangrar ainda, de tão congestionados.

Aquela mão assustava os paroquianos na hora das comunhões. O cardeal dera-lhe permissão para se utilizar da mão esquerda, mas ele não se habituara com aquilo. Nos primeiros tempos, logo após o acidente, usara uma luva, também sob permissão superior. Mas as hóstias deixavam um farelo nas dobras do pano, era trabalho cansativo limpar as pequeninas partículas que ficavam nas costuras dos dedos; aquelas partículas eram sagradas, não podiam ser jogadas e profanadas em qualquer canto.

Com o tempo, foi se habituando à repugnância de alguns rostos que se assustavam com aquela garra disforme, agarrada à hóstia como mandíbula de um bicho irritado que prendesse, entre dentes malfixados, uma presa preciosa e frágil.

Os paroquianos também foram se habituando, e os renitentes, os que nunca se habituavam, as caras novas que apareciam, os frequentadores eventuais da mesa de comunhão, esses tinham as mãos brancas e perfeitas de padre Mateus — um padre inteiro e confortável, decorativo, mas inútil.

"Sim, inútil. Um idiota! Com esse temporal em cima da igreja, e lá está em seu quarto, lendo seus livros — sei lá que livros! Um inútil, isso sim. Trabalhar que é bom — aqui estou eu, velho e aleijado, para o serviço todo. Há o Ismael, mas Ismael é outro impotente, cego de um olho, nem me adianta nesta hora, gostaria de ter alguém que pudesse ir lá em cima, ver as telhas da torre; se cair temporal o estrago será grande. Mas estou cercado de impotentes, de mutilados, com esta mão e esta perna aleijada, já não posso me arriscar assim; Ismael enxerga pouco, não me serve de nada. Padre Mateus é o pior. Inteiro e perfeito de carne e membros, mas aleijado de alma, frio, insensível, não tem amor a isto aqui, é um forasteiro em minha igreja, um inimigo dentro de minha cidadela. Vou um dia desses dispensá-lo, pedirei ao cardeal que me mande um outro auxiliar. Se não houver mais ninguém, prefiro ficar sozinho. Com esse idiota, com esse inútil é que não aguento mais!"

Pensou em tirar a batina e deitar-se um pouco, à espera do jantar. Mas o vento aumentava, agora que a noite caíra de vez. Padre Lucas temia o temporal, sabia dos estragos, conhecia sua igreja palmo a palmo, há trinta anos começara a construí-la, a erguê-la do nada. Tijolo a tijolo, lentamente, suando por todos os poros, a batina arregaçada entre as pernas, padre Lucas misturava-se aos operários. Seu trabalho valia pelo esforço de três ou quatro homens. E, com sua presença, os operários trabalhavam melhor, rendiam mais, constrangidos e estimulados em ver aquele homem imenso e poderoso, envolto pela metade em sua batina, preparar as massas, afundar a enxada na mistura de cimento e areia, erguer tijolos, encarregar-se das tarefas mais pesadas.

Era sozinho, então. O cardeal resolvera testá-lo numa coadjutoria, lá pelos subúrbios, mas padre Lucas não sabia ajudar, era muito independente e forte para ser guiado e travado pelas cautelas e pela velhice do titular da paróquia — um monsenhor que o dinheiro e as honrarias eclesiásticas haviam efeminado e adormecido.

Pediu coisa nova, trabalho pesado que fosse. E o cardeal, mais para castigá-lo que atendê-lo, dera-lhe aquilo, um rebotalho de ruas desmembradas da Matriz — a de São Joaquim —, zona de conflito entre a Ordem Terceira, que mantinha um hospital no território, e a paróquia mais rica e importante da cidade. Os atritos entre o provedor e o cônego que dirigia a paróquia chegaram a um ponto insustentável. O remédio foi o cardeal relotear o terreno, isolando a Ordem em uma faixa de ruas que seriam desmembradas daquela jurisdição paroquial. Uma espécie de estado neutro, dentro da arquidiocese.

Mas a Ordem, vencida a primeira batalha, quis vencer a guerra toda. Destruída a paróquia, quis destruir o pároco. Não cumpriu com os compromissos assumidos. Pelo trato feito com o cardeal, a Ordem deveria servir espiritualmente àquelas ruas que se desgarraram da paróquia. Mas o provedor jamais consentira que os padres da Ordem atendessem às necessidades daquela zona neutra. Quando os casos começaram a complicar e tumultuar a pesada burocracia eclesiástica, caiu dos céus um homem para aquela terra de ninguém. O cardeal olhou padre Lucas e colocou a mão em seu ombro:

— O senhor quer trabalho pesado? Pois terá o seu trabalho pesado!

Levou-o ao gabinete e mostrou o mapa da arquidiocese. Foi fácil para padre Lucas ver o que seria o seu trabalho pesado. A zona estava coberta com lápis vermelho. Coisa pouca, uma dúzia de ruas tortuosas cercando a pequena colina onde a Ordem construía seu monumental hospital.

— Isso aqui lhe serve, padre. Uma paróquia nova, pequena, sem vícios de administrações antigas. O senhor vai criar do nada, *ex nihilo*, como convém a todos os criadores.

Padre Lucas percebera a ironia do cardeal e percebera mais: aquela zona estava coberta de vermelho por algum motivo especial. Insignificante territorialmente, deveria haver alguma oculta importância naqueles poucos traçados vermelhos que rodeavam a Ordem.

— Serei vizinho do Hugo?

— Vizinho? Mais ou menos. Sua paróquia será desmembrada da dele, mas não diria que você será vizinho dele. A sede do Hugo é bem aqui embaixo, longe de sua zona. Você será vizinho é da Ordem Terceira. — O dedo gordo do cardeal percorreu uma distância no mapa e parou em cima de uma cruz negra, onde se lia, destacada, a advertência: DIABOLUS.

O cardeal olhou o rosto do padre Lucas, para ver a impressão que a palavra lhe causara. Ficou decepcionado ao ver que nenhum músculo se mexeu na cara forte e sadia do padre. Nenhuma pergunta foi feita. Padre Lucas recebeu a bula de investidura, marcaram a data para a cerimônia de instalação e posse — quando as coisas já estivessem em pé. Por ora, que padre Lucas se arrumasse, como pudesse. O cardeal deu-lhe uma carta para um médico da localidade.

— Pode se hospedar lá, por alguns dias. O médico é meu amigo, homem religioso, tem duas irmãs no Sodalício da Sacra Família, ele o ajudará nos primeiros tempos.

— E onde celebrarei?

— Meu filho, você sabe que, em sua situação, o direito canônico lhe dá a faculdade de celebrar e praticar o culto em qualquer lugar decente. Só lhe peço um favor: não me crie casos com a Ordem. Nem invada a jurisdição do Hugo. O resto é com Deus e com você mesmo.

Padre Lucas arranjou um lugar decente para celebrar sua primeira missa como pároco: os fundos de um açougue. O açougueiro devia favores ao médico, e havia um vasto alpendre vazio, cuja saída dava para outra rua.

Abriu uma porta no muro e colocou o aviso:

PARÓQUIA DE SÃO JOSÉ DA TIJUCA
Missas todos os dias, às 6 e às 7 horas
Domingos: missas às 6, 7 e 9 horas
O VIGÁRIO: PADRE LUCAS

Ao fim da última missa do primeiro domingo, contou, num canto do improvisado altar, o dinheiro que recebera das espórtulas e do casamento que realizara — o do próprio açougueiro que vivia maritalmente com uma mulata da Bahia.

— Amanhã vou comprar tijolos! A ventania soprava mais forte. Padre Lucas esperou que o vento afastasse a esfarrapada cortina de sua janela para olhar lá fora. Viu as palmeiras dançando, as copas agitadas.

— Se continuar assim, tenho de fazer qualquer coisa. Aquela torre inacabada, mais dia menos dia acaba caindo. Faltam dinheiro e energia para terminá-la, tenho uma ruína em minha igreja, eu mesmo sou uma ruína. Se ao menos padre Mateus ajudasse, tivesse boa vontade, bem que podia ser outra a situação. Não lhe pediria sacrifícios, não posso exigir que complete aquilo que não pude terminar.

Olhou as mutiladas mãos e lembrou-se do dia em que caíra do andaime. Já havia levantado a igreja, iniciava até algumas obras de decoração interna, mas queria a torre, enorme, monumental, que fosse vista de longe, apontando o céu, como um triunfo. De longe, Hugo veria aquela torre e diria, entre os dentes, "aquela é a torre do Lucas!"

Os sinos não deram trabalho. Promoveu o padre uma campanha financeira bem-sucedida e encomendou o conjunto de quatro sinos na Bélgica. Houve procissão e festa no dia em que chegaram. Mas a torre não podia vir da Bélgica, inteira, completa. Tinha de ser feita, metro a metro, tijolo a tijolo. Para ajudar, e para terminá-la mais depressa, padre Lucas misturou-se mais uma vez aos operários, fazia massas, subia pelo guincho provisório. Até que veio a queda: o andaime malcolocado, algumas tábuas apodrecidas, e a vertigem, o abismo de seis metros que o tragou e o mutilou.

Os operários socorreram-no. Padre Lucas sentiu-se arrebentado, mas a cabeça funcionava com lucidez e energia. Pediu que o levassem à Ordem, era o hospital mais próximo. Os homens sob seu comando improvisaram uma espécie de maca e subiram a imponente escadaria que serpenteava pelos jardins floridos do hospital.

Não aceitaram o padre. Não era irmão da Ordem, nem contribuinte, não podiam abrir exceções, limitaram-se a oferecer o telefone para o chamado da ambulância.

Mãos profanas, em hospitais profanos, trataram de suas feridas e chagas. A demora no primeiro socorro foi fatal: o osso da perna jamais foi recolocado em sua posição exata. O aleijão ficaria para o resto da vida. A mão — essa quase que perdida. Amputaram-lhe os três dedos intermediários, restando-lhe apenas aquela garra sanguinolenta, guardando os roxos vestígios da gangrena.

Seis meses depois do acidente, foi despejado por um táxi em sua igreja. Apoiado já na bengala de osso, as mãos enluvadas para impedir o constrangimento alheio, padre Lucas olhou, lá em cima, o soberbo edifício da Ordem.

— *DIABOLUS*!

Daí para cá, foi a luta das insignificâncias, das mesquinharias. Combatiam-se com ódio, sem tréguas. A Ordem promovia festas; pelas janelas semifechadas de sua lúgubre casa paroquial, padre Lucas via os carros de gente rica e importante subir as alamedas floridas do hospital. E vinham todos, o núncio apostólico, o embaixador de Portugal, o cardeal, que não queria brigas com ninguém. Quando da festa dos sinos, padre Lucas convidara o cardeal para benzer o carrilhão e aferir o seu esforço. Mas o cardeal mandara um de seus secretários, não perderia tempo em prestigiar um humilde pároco, numa paróquia insignificante e rixenta.

Enfim, eram coisas do passado. Padre Lucas está velho e, o que é pior, sente-se velho realmente, por dentro e por fora. Pedira coadjutores, o cardeal parecia escolher a dedo: todos uns idiotas. Pior mesmo, o padre Mateus. Além de inútil, um sujeito complicado, cheio de problemas e angústias.

A tarde em que padre Mateus invadiu o seu quarto, olhos excitados, como se tivesse febre ou uma demoníaca tentação da carne, padre Lucas assustou-se com aquele rosto congestionado, as mãos crispadas.

— Que foi, padre?

— Padre Lucas, o senhor sabe o que é amar a Deus sobre todas as coisas?

— Como?!

— AMAR A DEUS SOBRE TODAS AS COISAS. O senhor sabe o que é isso?

— Meu filho, isso é o primeiro mandamento da Lei de Deus. Qualquer garoto do catecismo sabe isso!

O coadjutor olhou-o sério, torturado:

— Padre, pense bem em minha pergunta: o senhor sabe o que é amar sobre todas as coisas? O que significa "sobre todas as coisas"?

— Bem, eu sou um simples padre, sem instrução, já faz muito tempo que não abro um livro, e já estou longe de meus estudos; aliás, fui um aluno medíocre, estudei porcamente a filosofia, e, quanto à teologia, aprendi e procurei guardar o necessário para não fazer feio. Depois, vieram os compromissos, a paróquia, as necessidades materiais do culto — não tive tempo nem vontade para me ocupar com esses problemas. Mas acredito que sua dúvida é infundada, o mandamento é claro, bem-enunciado, qualquer criança entende isso. Já dei milhões de aulas de catecismo e, quanto a este mandamento, nunca nenhuma criança me interrogou.

— Mas eu não sou uma criança. Sou um padre. E acabei de descobrir que não sei o que é amar a Deus sobre todas as coisas. Os demais mandamentos são óbvios, simples, envolvem terceiros, configuram um comportamento social ao mesmo tempo que um comportamento religioso. Veja: não furtar, não matar, não pecar contra a castidade, honrar pai e mãe, não levantar falso testemunho — são mandamentos explícitos, simples, basta o enunciado para se compreender a sua finalidade e o seu sacrifício. Mas o primeiro mandamento, que venho repetindo desde o catecismo, maquinalmente, da boca para fora: Amar a Deus! O que é amar a Deus? E o resto? O "sobre todas as coisas"?

Padre Lucas olhou o coadjutor com ódio. Tanto trabalho para realizar, tantas ocupações e preocupações, e vinha aquele rapaz, malsaído da adolescência, levantar um problema inútil e ridículo!

— Padre Mateus, recebi o senhor em minha casa como auxiliar. E não como aluno. Se existem ainda tantas dúvidas em sua consciência, fale com o cardeal, peça para voltar ao seminário, estudar mais teologia, aprofundar-se nos livros e mestres. Não sou mestre nem teólogo. Sou um padre, um humilde vigário, minha função, minha obrigação, é lutar contra o demônio, impedir que ele me roube as almas que me foram confiadas. É assim que eu entendo a minha missão de sacerdote e de homem. Deus destinou-me a isso, e para isso aqui estou, com minhas fraquezas e limitações. O resto não me interessa.

— Padre — o coadjutor era teimoso, insistia —, o senhor já absolveu algum penitente do pecado de não ter amado a Deus sobre todas as coisas?

— Todo pecador contra qualquer mandamento da Lei divina ou natural é um violador desse mandamento. Não há necessidade de ninguém se ajoelhar aos meus pés e confessar: "Pequei, padre, pela falta de amor a Deus." É uma decorrência, uma dedução. O pecado, em si mesmo, é um ato consciente e voluntário do desamor a Deus.

Lucas resolveu encerrar a questão:

— Escute, padre. Não estou aqui para ensinar o rosário a ninguém, muito menos a um sacerdote mais culto que eu, malsaído do seminário, que deve ter na cabeça, recente, toda a ciência necessária para vir enfrentar, aqui fora, o inimigo. Mas saiba: se o senhor tem tantas dúvidas, o remédio é reestudar a sua vocação. Vai ver que o senhor entrou para o nosso clero de forma equivocada. Não era isso que sua alma pretendia. Pois ainda há tempo. Qualquer Ordem religiosa teria prazer em receber um padre já ordenado, pronto para assimilá-lo em sua comunidade. Nos conventos, um padre secular será sempre bem-aceito, e lá o senhor teria tempo para dedicar-se exclusivamente a esses problemas. Aqui fora, não. Não somos contemplativos, padre. Vivemos em contato com o mundo, com a miséria dos homens, com as ciladas do demônio, com os perigos, com as necessidades. A santificação de nossa alma é quase secundária. Somos destinados a salvar — às vezes com grave risco de nossa própria salvação. Isso fica por conta de Deus. Ele acertará contas conosco e levará tudo isso em consideração. Portanto, não vejo onde me preocupar. Faço o que posso, cumpro com meus deveres, dou esse duro danado para manter e completar a minha igreja. Arregacei as mangas da batina, entrei rijo na luta e já estou nisso há trinta e tantos anos. É muito tarde para mudar de vida e de estilo. Mas o senhor é moço; se acha que o seu lugar é uma Ordem contemplativa, ainda há tempo e modo, é só falar com o cardeal, com o seu diretor espiritual, o seu confessor. De minha parte, não colocarei embaraço algum. O senhor é livre.

— Obrigado, padre Lucas, mas o senhor não me entendeu. Não vou entrar para convento algum. No fundo, admiro o senhor. Mas ninguém poderá me ajudar.

— Deus pode ajudar, meu filho. Deus pode. Reze e trabalhe. *Ora et labora*.

— Padre, ouça bem: ninguém pode me ajudar. Sobre todas as coisas, isso: ninguém pode ajudar realmente a ninguém.

Padre Lucas ouviu passos pelo corredor. Sabia que era Ismael, a avisar que o jantar estava pronto. O empregado deslizava mansamente pela casa, não fazia ruídos, parecia uma ave pousada no chão. Subia a velha escada de madeira e não se ouvia um rangido. Padre Mateus, quando subia aqueles degraus, fazia o barulho normal, um peso compacto sobre os degraus malfixados e velhos. Ele, padre Lucas, não gostava de subir por aquilo. Era um símbolo de seu fracasso, de sua miséria física. Os ossos da bacia e do fêmur doíam então, e ele se apoiava com ferocidade na bengala. A escada toda rangia e rugia, como se possuída por uma legião de demônios.

A batida na porta, mansa também.

— O jantar está pronto.

— Já vou descer, Ismael. Chamou padre Mateus?

— Ele vai comer no quarto. Pediu que levasse o prato mais tarde.

Ismael não ouviu a praga que padre Lucas soltou. Mais uma! Ele, trinta e tantos anos enterrado ali, e só mesmo por doença séria pedia que lhe servissem no quarto. Tinha da mesa uma noção sagrada, laço de família, centro de comunidade, odiava comer sozinho, como um réu ou um anacoreta. No início, pensou que padre Mateus evitasse a mesa por causa de suas garras, a mão aleijada devia repugná-lo. Mas logo se habituou, todos os seus auxiliares, mais dia menos dia, se habituariam com aquela mão disforme e agressiva. E havia também o olho furado de Ismael, vazado; a pálpebra escura caída sobre a vista não dava para impedir que se adivinhasse a monstruosidade. Talvez Ismael afastasse padre Mateus das refeições, repugnando-o também.

E mais uma vez amaldiçoou-se de estar cercado de aleijados — ele mesmo um aleijado, o maior de todos, o mais repugnante de todos. Ismael com seu olho furado, padre Mateus com seus ataques de epilepsia e suas angústias de adolescente — qualquer dia teria de comunicar o caso ao cardeal. Não sabia como deixaram ordenar-se um rapaz com aquela moléstia infernal. E a própria igreja, inacabada, caindo em ruínas, a torre pela metade — era uma ruína maior e colossal que abrigava ruínas menores e dolorosas.

Deu um pulo para firmar-se novamente à mesa, apanhou a bengala, e agora, com mais embaraço, chegou-se à janela. Afastou o fiapo de cortina esgarçada e olhou.

O vento continuava, feroz, as palmeiras agitavam-se, e havia no ar um cheiro violento de terra molhada. As nuvens escuras passavam, pesadas e baixas, como gigantes deitados, silentes. Para os lados da cidade, um clarão contínuo denunciava trovões e relâmpagos.

— Se ao menos padre Mateus quisesse ir lá em cima, ver o telhado da torre!

Abriu a porta e enfrentou o corredor. Passou pelo quarto do coadjutor, notou a luz acesa; o outro em vez de ajudar, de participar com ele na tarefa de comer todos os dias, em espírito de comunidade, preferia isolar-se, com egoísmo, e ler livros perigosos ou suspeitos, e perseguir dúvidas e perplexidades.

Agora, a escada. Subir, embora mais cansativo, era mais fácil. Bastava fazer força para cima, e o corpo todo, rangendo e protestando contra a violência, conseguia deslocar-se. Mas para descer era preciso apoiar-se totalmente no corrimão bambo. Qualquer dia levaria outro tombo: na curva dos degraus, pouco mais abaixo, o corrimão estava praticamente solto. Era preciso, então, jogar-se contra a parede e resvalar como um réptil, a bengala fazendo as vezes de uma terceira perna. E qualquer descuido, se não fosse vigilante na contenção do peso do corpo, perdia o equilíbrio e rolava.

No dia em que foi descer com pressa, padre Mateus tivera um ataque em plena escada, rolara espumando; ele ouvira o barulho e veio socorrê-lo. Na hora esqueceu-se das cautelas, na altura do segundo degrau perdeu o controle do peso, e o corpo despencou-se, rolou também, e os dois ficaram estendidos e feridos, à espera de que Ismael, pálpebra escura sobre o olho apostemado, viesse socorrer tanta miséria.

Afinal, a mesa. Junto à sua cadeira, havia o lugar especial para deixar a bengala; precisaria dela para levantar-se.

— Esta carne não é de ontem?

O aspecto do assado motivou a pergunta. Ismael trazia a terrina com a sopa requentada do almoço.

— O açougueiro mandou a conta ontem. Enquanto não pagarmos, não haverá novas entregas.

— O miserável! Lá para a Ordem manda toneladas de carne, fiado, os portugueses pagam quando querem e exigem abatimentos e comissões nas faturas. Para nós não há contemplações, é tudo no dá lá e toma cá. A conta é alta?

— Mais ou menos. Uma semana apenas.

— Amanhã vejo isso. Você me lembra, logo depois da missa.

— E veio também o homem do vinho. Trouxe um barril cheio e levou o vazio. Amanhã vou começar a engarrafar. Mas o homem disse que voltaria para o pagamento. O preço das novas remessas aumentou.

— Bem, para o vinho há dinheiro; graças a Deus nunca me faltou dinheiro para o vinho, não brinco com os fornecedores, pago até adiantado, o que é do culto está em dia. Não sou que nem o Peçanha. No tempo do Hugo, a paróquia andava a esbanjar, o dinheiro sobrava. Hugo tinha até automóvel e chofer. Depois veio o Peçanha, formado em Roma, cheio de ciência, e deu no que deu. Até vinho faltou para a missa; veio aqui, correndo, me pedir emprestado uma galeta. Nunca cheguei a isso. Para Deus — tudo. O que sobrar, e como sobrar, para nós.

Ismael servia a sopa, habituado às mesmas conversas, aos mesmos assuntos; se padre Mateus ali estivesse, padre Lucas aproveitaria a oportunidade para atacar os colegas, homens perdidos e corrompidos pela excessiva cultura, pelos estudos infindáveis. Tanta sapiência terminava como o Peçanha, de mãos postas, pedindo vinho para a missa. Ele não. Quando se ordenara, fizera imprimir uns cartões que serviriam de convite e recordação ao mesmo tempo. Escolhera uma frase que era o seu lema, a sua missão: DEUS SUPER OMNIA. Deus acima de tudo.

A igreja estava aos pedaços, a torre mutilada e apodrecida, os sinos nunca soaram ali, anunciando as alegrias do culto, a voz de Deus. Mas tudo o que era essencial, nunca lhe faltara. E saíra do nada, sem ajuda de ninguém, celebrando atrás de um açougue. Erguera a sua igreja. Em algum canto da sacristia, abandonada e suja, havia ainda a maqueta em gesso do que seria o seu trabalho. Um verdadeiro santuário, com batistério do lado de fora, capela mortuária subterrânea, salões, cinema, um ambulatório, uma escola, aquilo tudo fora previsto no gesso e nos seus sonhos, o corpo principal chegara a ser levantado.

Até que veio a cisma com a torre. Bem que podia iniciar outras obras mais importantes, que ampliariam o serviço paroquial. Mas uma igreja sem torre é como um padre sem batina, um altar sem luzes, um púlpito sem voz. Começou a torre, houve a queda, a tragédia, seis meses no hospital; quando voltou, era também uma ruína ao lado de outra ruína.

E as duas ruínas envelheceram juntas, ele perdera o entusiasmo em continuar, trabalhava apenas para a sobrevivência do culto, para a assistência espiritual de seus paroquianos.

A igreja, abandonada e triste, entrou em decadência. Pela Páscoa do ano passado resolvera ir lá em cima, ver os sinos. Foi com mágoa que viu o carrilhão vindo da Bélgica, gosmento de limo e sujo de pássaros, encostado e mudo num pedaço inacabado de laje. Com a ponta da bengala tentou despertar um som naqueles sinos, mas as bocas tampadas pelo chão impediram o eco. Tentou com mais força, até que obteve o som abafado e surdo, que não eram apenas a solidão e a inutilidade dos sinos, mas a sua própria solidão, a sua própria inutilidade. O seu fracasso.

Ismael recolhia os pratos e trazia um pedaço de pudim como sobremesa.

— Foi dona Mariana quem mandou para o senhor.

— A Mariana? Aquela megera?

Se pudesse, evitava comer daquilo. Mas não podia negar a si o pouco de prazer; afinal, a comida ali, em sua casa, era quase intragável, o suficiente para mantê-lo em pé. Sobremesa era coisa rara, só mesmo quando algum paroquiano aflito ou agradecido decidia agradar aos padres.

Sabia que aquele pudim não fora feito para ele. Dona Mariana jamais mandaria doces para padre Lucas. Aquilo era sobra do pudim que fora, inteiro e caramelado, para padre Mateus. O coadjutor roubara-lhe os melhores pedaços da paróquia. Todos passaram para o seu confessionário, para as suas missas, para os seus sermões. A ele ficara reservado o rebotalho, os enterros, os defuntos, os moribundos, os indigentes que vinham pedir batismo ou matrimônio.

— Ismael, tem mais um pouco de pudim?

— Não, padre, acabou, ela mandou um pedaço pequeno.

Padre Lucas raspou com a colher o resto da calda e lambeu o que pôde.

— Hoje não preciso de café. Quero ficar com este gostinho.

Apanhou a bengala, foi dar uma espiada na sacristia, conferir as portas. Acendeu parte do lustre central da imensa nave, vazia e fria como o intestino de uma baleia oca. Arriou a lâmpada do Santíssimo e verificou se havia óleo para a noite toda; jamais, em seus trinta e tantos anos de vigário, aquela lâmpada se apagara; havia sempre óleo para iluminar o altar onde, encerrado e solitário, seu Deus persistia em não o abandonar.

Fez uma genuflexão pela metade, quase um cacoete com o busto, de há muito não podia realmente ajoelhar-se. Bocejou ao iniciar uma oração comprida e resolveu acabá-la em seu quarto. Persignou-se, apagou o lustre, bateu com a porta da sacristia e subiu.

Ao atingir os últimos degraus, viu que a porta do quarto de padre Mateus se abriu. Lucas procurou firmar-se com mais dignidade à bengala — quando se sentia observado, fazia esforço para que ninguém percebesse a dificuldade dolorosa com que subia as escadas. Firmava a bengala com energia no degrau acima e tentava levantar o corpo, até que a perna aleijada se aprumasse no degrau vencido. Quando estava sozinho, livre da curiosidade ou da comiseração alheia, subia as escadas como podia, como Deus ajudava, como o diabo atrapalhava. Gingava como um touro enlouquecido — e a escada rangia, possuída pela legião de demônios que a subjugavam.

— Boa noite, padre.

Lucas passava pela porta do quarto aberta, e sabia que Mateus o esperava para falar qualquer assunto desagradável, ou qualquer coisa impossível. Apressou o passo para chegar ao próprio quarto antes que o coadjutor aparecesse. Uma vez fechado, protegido em sua cela, padre Mateus teria de vencer o constrangimento em bater à sua porta, e ele talvez ficasse livre da amolação.

— Padre Lucas, uma palavra, por favor.

O vigário parou, locomotiva freada abruptamente, resfolegando por todos os poros. O rosto trazia vermelhidões terríveis pelo esforço de ter vencido a escada, mais uma vez.

— Às ordens, padre, às ordens.

Padre Mateus veio de dentro de seu quarto. A batina bem-arrumada, vincada nas dobras, a faixa de gorgorão preta bem-ajustada na cintura, o colarinho branco, muito limpo, impecável. "No início são todos assim. Batina bem-arrumada, faixa, colarinho limpo; depois chegam os compromissos, e a gente nem tem tempo de botar a faixa; colarinho, só mesmo na hora da missa."

Padre Lucas olhava padre Mateus com desprezo, vendo-o arrumado, feito uma noiva.

— Padre Lucas — a voz do coadjutor era fraca, alguma coisa que lhe custara sacrifício deveria ser dita —, já estamos na segunda semana do mês, e eu gostaria de dispor de algum dinheiro. Tenho contas a saldar, o senhor sabe, aqueles livros que andei comprando a crédito, o senhor é o meu fiador, pois o cobrador deixou hoje um bilhete malcriado com Ismael; se eu não pago amanhã, ele manda protestar. Já estou atrasado alguns meses, o senhor bem que podia acertar as contas hoje.

Padre Lucas segurava a bengala de osso com as duas mãos. A cabeça baixa, preocupado ainda em recuperar o fôlego.

— Está bem, padre, é de seu direito, o senhor me desculpe, não é por mal, mas as coisas não andam bem, a situação é difícil; tirando o dinheiro para o culto, pouco nos sobra, já há alguns anos que não compro nada para mim, só mesmo comida — pois alimentar o celebrante da missa, o ministro de um sacramento, é também serviço do culto, segundo está em São Paulo. Mas fora disso, o senhor sabe, não me sobra nada. Mas o padre está com razão, devo-lhe atrasados, suas missas são suas, o senhor deixou que eu dispusesse delas para acertar algumas dívidas, mas o senhor tem também os seus compromissos, é justo, vou providenciar. Amanhã, depois das missas, e daquele batizado que foi marcado ontem, teremos algum recurso. Pois tudo será seu. O açougueiro que espere. E podemos passar mais uns dias sem carne.

— Algum problema com o açougue?

— Pois cortaram a carne, acabei de comer o mesmo assado de ontem, a conta parece que vai alta. Mas isso que espere, amanhã comeremos o que Deus e Ismael arranjarem para nós.

Padre Mateus fez um movimento, e padre Lucas conseguiu ver, por trás dos ombros do coadjutor, a pequena mesa de estudos do quarto. Em meio aos livros, aos cadernos, à máquina de escrever portátil, padre Lucas viu o prato de pudim, sem o pedaço que descera para o seu jantar.

— Aquele pudim é seu, padre? Obrigado pelo pedaço que me mandou. Estava muito bom. Foi da Mariana?

— Foi. Ela me recomendou um parente afastado do marido, morto em Juiz de Fora, quis me pagar, mas eu expliquei que aquilo não fora uma missa especial, simplesmente incluí o nome do parente no memento dos mortos, mesmo assim ela se achou obrigada a uma gentileza, mandou-me o pudim.

— E o senhor prolongou a gentileza, mandando-me um pedaço. Muito obrigado, padre, muito obrigado. A Mariana nunca me mandou pudim, e já rezei por toda a família dela, pais, irmãos, avós, parentes afastados e próximos, até por um cachorro de estimação ela veio me pedir que rezasse, enxotei-a como devia, mas acho que merecia, um dia, o pudim.

— O senhor quer levá-lo? Não ligo para essas coisas.

Padre Lucas disse um não enérgico, mas padre Mateus já estava no pequeno lavatório, lavando um pires.

— Vou servi-lo de mais um pedaço, tem uma colher aí em cima, o pudim é muito grande para mim, vamos reparti-lo.

O pudim era grande realmente. Padre Mateus trouxe o pires, mal enxuto mesmo, e procurou um lugar em sua mesa para apoiar o prato. Fez padre Lucas sentar-se no espaço obtido, serviu-o um largo pedaço, com bastante calda.

— O senhor está escrevendo um livro?

Padre Lucas apontou para as folhas datilografadas junto à máquina, os livros abertos, fichas de citações ao lado.

— Não, padre, eu preparo meus sermões assim, escrevo primeiramente, depois decoro algumas frases básicas, o resto fica por conta da experiência e da inspiração divina.

— Pois olha, padre, já fiz seguramente alguns milhares de sermões, e nunca preparei uma só frase. Leio o Evangelho, a epístola, o gradual, escolho uma frase que julgo apropriada à situação, ao momento, e deixo o resto por conta do Espírito Santo. Não sou nenhum Lacordaire, mas dou conta do recado. Converti muita gente assim. Regenerei gente má, padre. Olhe, não é para me gabar, mas já lhe contei a história de Ismael. Ismael tem um passado feio, até morte nas costas o homem tem, matou uma mulher, há tempos, por causa de ciúmes. Aquele olho furado é outra história suja também, não foi Deus quem fez aquele olho assim. Pois botei Ismael no bom caminho. Há dez anos está comigo, sossegado, não me deu um desgosto, um aborrecimento até hoje. Só não quis, até agora, foi confessar seus pecados. Volta e meia, pelo Natal, pela Semana Santa, lembro que a morte pode vir a qualquer momento; abriguei-o contra a polícia, contra o ódio de seus inimigos que procuram vingar o crime, pois o homem regenerou-se completamente, só não quer saber é da confissão, nem da comunhão. Na hora da morte, eu ou o senhor teremos de confessá-lo e absolvê-lo à força.

Padre Mateus olhou surpreendido o vigário. Sabia que Ismael tinha um passado, mas não imaginava que padre Lucas abrigasse e escondesse um criminoso de morte que nem sequer fizera as pazes com Deus e com sua consciência.

— O senhor não exagera nesta complacência? Se Ismael fosse confessar o seu crime, o senhor teria de obrigá-lo a reparar o mal feito. Isso é coisa elementar na mecânica da absolvição.

— Ora, ora, padre Mateus, o senhor no outro dia não sabia o que era amar a Deus e agora vem me ensinar como se absolve um pecador! Pois aí está. Eu já absolvi Ismael, por conta própria, sem confissão mesmo. Se Deus quiser absolvê-lo, que lhe dê a graça, a misericórdia de merecer o perdão. É problema de Deus e de Ismael. O meu problema já está resolvido. Absolvi Ismael. É gente de nossa casa, de confiança, gosto dele. Não sou delegado nem detetive para andar atrás de criminosos e puni-los. Ismael é nosso irmão. Nosso filho.

— Nosso empregado.

— Não, padre, não exploro Ismael. Ele quis ficar aqui, no serviço da casa. Nunca o forcei a nada, nem mesmo a frequentar as missas. Quando fico sem sacristão, arranjo outro por aí, mas nunca pedi a Ismael que fizesse aquilo que ele não quer, jamais pediria que ele participasse de coisas que não entende, não crê, não respeita. Deixei-o ficar aqui em casa, tem quarto e comida grátis, algum dinheirinho quando há alguma sobra; ele gosta daqui, está livre e ao abrigo de uma porção de coisas que o incomodam lá fora. Trabalha, é verdade, em nosso serviço, mas quem não trabalha?

A censura do coadjutor estragou o gosto do pudim. Padre Lucas abandonou o prato, com metade do doce ainda. Procurou pela bengala.

— Padre, amanhã, depois das missas, estamos combinados, darei o dinheiro. Vou deitar, este vento está muito forte, tenho medo pela torre, aquelas telhas que protegem os sinos estão frouxas, o senhor nunca foi lá em cima, é uma pena, os sinos são de primeira, vieram da Bélgica, custaram um dinheirão, um som maravilhoso, e está tudo apodrecendo. Enfim, é a vontade de Deus, que não quis me dar a graça de ver terminada a minha igreja. *Incipiam aedificare, non possum consumare.* Só peço que este temporal não me cause maiores prejuízos. Cada chuva forte é uma despesa enorme com os reparos. Na torre pode haver goteiras, mas dentro da igreja não, pois, olhe, no mês de maio, fiz a coroação de Nossa Senhora sob um temporal, tinha uma goteira enorme em cima do altar, chovia em cima dos anjinhos.

Deu meia-volta, procurou pela porta que uma rajada de vento havia fechado atrás de si. Ao chegar em meio ao corredor, viu o vulto descendo a escada.

— Que que há, Ismael, alguma coisa?

O empregado parou no meio da escada.

— Vim apanhar estes jornais velhos, amanhã posso fazer um dinheirinho vendendo isso no açougue.

Padre Lucas olhou o coadjutor com orgulho:

— Viu, padre? Tem crime nas costas mas anda catando jornal velho por aí, para a gente poder comer alguma carne amanhã.

Padre Mateus achou pueril o elogio do vigário:

— Acho que ele ouviu a nossa conversa.

Padre Lucas não deu importância ao pormenor. O coadjutor desejou boa-noite, em voz seca, dura.

— Pois boa noite, padre, durmamos com Deus e livres do demônio que nos ronda, como o leão a rugir. Obrigado pelo pudim, mais uma vez. E vamos rezar para que o temporal respeite a igreja.

A bengala de osso bateu com força no chão e guiou padre Lucas até o quarto. Padre Mateus fechou a porta e só então reparou que o vento, lá fora, fazia balançar as palmeiras. Mais ao longe, para as bandas da cidade, em meio às nuvens pesadas e escuras, os relâmpagos incendiavam o horizonte, como uma ameaça.

Não sabia se aquela era a pior ou a melhor hora de seus dias. Fechado à chave, desligado de todos os comandos que o prendiam à paróquia, padre Lucas tinha, então, o seu momento. Jogava a bengala embaixo da cama, não tão distante que não ficasse ao alcance de seu braço, pois podia haver uma emergência. Despia a batina, colocava um dos surrados pijamas que o acompanhavam há tempos, empurrava a mesinha do centro para junto do leito, e ali ficava, disponível, para fazer ou pensar o que bem entendesse.

O breviário lá estava, jogado em cima da mesa, de há muito não rezado. Sim, sabia, era uma das obrigações de seu estado, desde o subdiaconato que era obrigado a rezá-lo todos os dias. Mas isso era uma invenção de teólogos e canonistas do passado, que nada entendiam dos deveres e dos compromissos de um pároco moderno. Como arranjar tempo material e concentração espiritual para rezar naquele livro grosso, de douradas folhas? Muitos padres chegavam a ter devoção pelo breviário. Outros, os mais numerosos, logo se habituavam, recitavam mecanicamente aqueles salmos e cantos e hinos, com o pensamento em outras coisas. Ele não. Não se tapeava, nem procurava tapear Deus. Não tinha tempo para entoar loas aos mártires, hinos às virgens, responsórios aos confessores, preces aos doutores. A sua vida sacerdotal ali estava, limpa, honesta, sacrificada, uma dedicação de trinta e tantos anos; um dia acertaria contas com Deus e não se apresentaria de mãos vazias. Fizera o possível, tentara até o impossível. Dedicara-se com lealdade a seu apostolado. Mais, não podia — e agora nem queria — fazer.

Por precaução, e porque ouvia o vento assobiar cada vez mais forte, foi dar uma espiada na torre. Pela janela, distinguia a silhueta mutilada daquela construção quadrada e escura, erguida contra o céu como um escárnio. Junto, as palmeiras vergavam ao açoite do vento, as palmas quase roçavam os sinos.

A chuva, o vento a levara para longe, as nuvens inchadas passavam velozes e em silêncio sobre o estilete da torre. Lá para os horizontes, relampejava forte, incendiando-se o espaço com um fogo azulado e sinistro.

Voltou ao leito.

Quando havia dinheiro, padre Lucas dedicava aqueles momentos aos planos e às contas. Mas há muito que o dinheiro escasseava, mal dava para o culto e para o pão de cada dia. Evangelicamente pobre, não tinha com o que se preocupar agora, desde que houvesse dinheiro para o óleo da lâmpada do Santíssimo, para as velas do altar, para as hóstias, para o vinho, e para um pouco de comida — tudo ia bem, *Deus providebit*.

Mas havia um rancor novo contra padre Mateus. Livros! O miserável queria consumir livros e livros, e para quê? Para aumentar suas dúvidas e criar outras! Aquela do primeiro mandamento, o que é amar a Deus sobre todas as coisas? Isso na boca de um padre nem fazia sentido! O jeito era ir ao cardeal, aturar o desprezo do superior que não o conhecia ainda — pois o outro havia morrido —, aguentar o seu nariz torcido de aristocrata, a velada censura pelo desleixo de sua batina rota, de suas unhas sujas. Mas era preciso ir. Pedira um coadjutor que o auxiliasse na paróquia, e não um rapaz cheio de dúvidas e espantos, que nem sabia o que era amar a Deus!

Melhor, talvez, falar francamente com o próprio padre Mateus. Repetir aquela insinuação da ordem regular. Padre Mateus devia ser uma vocação equivocada, não nascera para o duro apostolado das paróquias. Pois que se recolhesse a um convento, a qualquer Ordem religiosa, lá teria de tudo, mestres e doutores para explicar suas dúvidas, bibliotecas fartas, comida excelente e tempo de sobra para pensar e tratar da salvação da própria alma. Ele, humilde vigário jogado no mundo, sem voto e sem obrigação de ser pobre, mas pobre, quase miserável, velho já e lutando ainda com ferocidade pelo pão de cada manhã, não podia mudar mais de vida — nem queria. Amava aquilo tudo, aquelas ruínas que ele fizera nascer do nada e que ao nada voltavam, independentes de sua vontade. Não tinha culpa da fatalidade, a mão de Deus fulminou-o em seu orgulho, justamente quando queria competir com a Ordem — DIABOLUS — conforme estava no mapa da arquidiocese, em pleno Palácio Arquiepiscopal. Não fora ele quem chamara a Ordem de DIABOLUS, fora o próprio cardeal, o que morrera há oito anos. E, para espanto seu, vira o mesmo cardeal, diversas vezes, ir almoçar com os ricos provedores, os portugueses endinheirados que faziam caridade e pompa — mais pompa que caridade. Ao ruminar a digestão dos vinhos caros, o cardeal na certa olharia para as ruínas inclementes de sua igreja, e talvez algum provedor apontasse a torre, "foi dali, daquela altura, que o padre Lucas caiu, castigo de Deus, quem mandou roubar cimento da Ordem?".

Fora uma denúncia também, essa, a de que ele, padre Lucas, roubava material da Ordem. O grandioso hospital estava em final de construção, e havia um largo alpendre de tijolos, de telhas, de canos, de sacos de cimento. Uma noite, padre Lucas tirou dois sacos de cimento, precisava deles para rodar uma laje já iniciada, o dinheiro faltou subitamente, e sem o cimento o trabalho ficaria estragado, a laje perderia consistência e segurança. Em desespero, foi ele mesmo, em meio à noite, tirar os dois sacos. Para o fim do mês, haveria a Festa do Precioso Sangue, o dinheiro entraria mais fácil, e ele reporia os sacos no lugar, não fariam falta, a Ordem esbanja, para mostrar riqueza e jactância.

Mas a Ordem soube, ou adivinhou. O vigia da noite correu-lhe atrás com uma espingarda, deu tiros para o ar, foi um escândalo. O cardeal chamou-o ao Palácio, ameaçou-o de suspensão das ordens. E foi tanta a praga, que dias depois veio o desastre, a queda no andaime, os provedores viram padre Lucas chegar carregado pelos operários na improvisada maca, enxotaram o padre dali, ladrão de cimento, que mãos profanas e sem respeito fossem cuidar de suas feridas e aleijões.

A raiva foi tanta que padre Lucas virou-se na cama, como se enxotasse, após tantos anos, mais que uma recordação incômoda, porém um companheiro desagradável que ali estivesse, compartilhando seu leito pobre e solitário.

Procurou pensar em coisa mais agradável mas ouviu, pelo corredor, passos apressados e aflitos. "Lá vem outra vez o padre Mateus!"

Mas a força com que o coadjutor bateu à porta assustou o vigário. Jogou a batina pela cabeça, catou a bengala e, mal abriu a porta, viu o rosto congestionado do outro, sufocado já, de fumaça e de desespero:

— Padre, a igreja está pegando fogo!

O corredor estava tomado pela fumaça, pesada fumaça que ardia nos olhos e queimava o rosto, como um vapor d'água, muito denso e próximo. Padre Lucas tentou alcançar a escada, mas o coadjutor travou-o, com energia:

— Não, padre, o fogo começou pela sacristia, lá embaixo deve estar tudo em chamas, um inferno!

— Mas não posso deixar isso tudo ir embora assim, tenho de fazer alguma coisa!

— O melhor é tentarmos pular a janela. Eu o ajudo. Daqui a pouco deve vir socorro, olhe lá fora!

Padre Lucas então olhou. O vento parara, as copas das palmeiras eram balançadas agora por uma leve brisa, pareciam incandescentes. A torre, a mutilada torre, estava oculta pela fumaça que saía aos rolos da nave principal da igreja. Labaredas, não via nenhuma, ainda. Mas agora sentia, sob os pés, o chão do corredor estalar, espatifado pelo fogo que queimava a carne de madeira.

Padre Mateus não chegou a vestir a batina, estava de pijama, e abriu a janela que dava para os fundos da cozinha.

— Onde se meteu Ismael numa hora dessas?

— Tenho de ir lá embaixo, padre, tenho de ir, a minha igreja não pode desaparecer assim, tenho de lutar por ela e com ela!

— Mas é impossível, padre Lucas, impossível! Não podemos fazer nada, é salvar o que pudermos, pela janela jogaremos fora as roupas, os livros, depois tentaremos sair, corremos perigo também. A igreja está perdida!

— Perdida uma merda!

Padre Lucas soltou-se das mãos que o agarravam e jogou-se pela escada, sem bengala. Padre Mateus viu o vulto enorme e disforme do vigário rolar pela fumaça que já avermelhava em alguns pontos, denunciando a proximidade das chamas. Logo ouviu o baque surdo, o estalar de madeiras apodrecidas, o peso de um corpo tombado sobre o chão esbraseado. Tentou acercar-se do início da escada, mas a fumaça já era forte demais, o calor insuportável.

— O louco! Que que aquele louco foi fazer lá embaixo!

A janela estava aberta. A altura não era muita. Com sorte, padre Mateus poderia alcançar o telhado de um pequeno quarto anexo à casa paroquial, que servia de depósito para uns bancos e móveis imprestáveis. Pensou em voltar atrás, apanhar objetos seus, salvar o que fosse possível. Mas imaginou padre Lucas estendido no chão, sem poder mexer-se, a ser devorado pelo fogo. Tomou coragem e saltou.

Bateu primeiramente no telhado, não conseguiu firmar-se. Escorregou e logo caiu ao chão. Mas a queda fora amortecida e, apesar de nada ter sentido quando tocou a terra, viu que as mãos sangravam, embora não sentisse dor alguma. Ferira-se ao tentar se agarrar no telhado do depósito.

Deu a volta pela casa paroquial, depois de ter percebido a pequena multidão que se formava pela parte da frente. Impossível que, àquela hora, já não tivessem providenciado socorro. Pensou em Ismael. Com o empregado, poderia arrombar a porta dos fundos, que ligava a sacristia ao outro lado do terreno.

Seu grito varou a noite:

— Ismael! Ismael! Ismael!

O estalar do fogo abafava o grito. Foi quando ouviu o barulho de vidros que se partiam. Olhou para cima, um dos vitrais esfacelava-se, estilhaçado. Pela cavidade aberta, viu as labaredas que já atingiam o teto da igreja.

A altura não era muita. Com algum esforço, conseguiria segurar nas bordas do nicho. Tomou distância e saltou, com a energia possível. As mãos chegaram a segurar as bordas, mas havia restos de vidro ali, os dedos entraram fundos pelos estilhaços, a dor foi mais forte que tudo, escureceram-lhe a vista e o coração, padre Mateus largou a borda, escorregando pela parede, até cair ao chão, ensanguentado, sem fôlego.

— Machucou-se, padre?

Na escuridão, distinguiu um rapaz que pulara a grade da frente e viera ver os estragos na parte de trás.

— Já chamaram os bombeiros?

— Telefonaram lá do botequim, daqui a pouco chega socorro.

— Mas o vigário está lá dentro, deve estar morto, tenho de ir lá também!

O rapaz tentou impedir, mas o padre tomou impulso novamente, jogou-se como um búfalo ferido contra a parede, conseguiu agarrar-se a uma pequena borda sem vidro. Vendo-o pendurado, o rapaz empurrou-lhe o corpo pelas pernas, até que o padre conseguiu firmar-se e colocar-se de joelhos sobre o nicho do vitral.

Tudo era fogo. O altar já estava destruído, tombado e retorcido, como se um demônio o houvesse espremido, reduzindo-o a um bagaço de ferro e mármore. Padre Mateus escolheu um trecho do piso onde pudesse pular, já a fumaça o tonteava, sufocando-o. O calor queimava-lhe os olhos e os cabelos.

Pulou a esmo, em qualquer lugar o perigo seria o mesmo.

Às tontas, cego pela fumaça, tentou orientar-se, mas o altar tombado impedira as duas saídas laterais que davam para a sacristia. Para atingir a casa paroquial, teria de atravessar aquela muralha de fogo e passar pela sacristia, que já devia estar reduzida a cinzas.

Procurou outra saída. Era dar a volta pela nave e atingir o altar pelo lado oposto, talvez houvesse uma pequena saída que o livrasse do fogo e o levasse ao local onde deveria estar padre Lucas.

Tateou, tossindo, os olhos molhados, até conseguir um ponto de referência: o enorme lustre central que caíra ao chão, ao peso das chamas. Ali era o centro da nave e de toda a igreja. Bastava agora fazer inversamente o mesmo caminho e chegaria ao outro lado do altar. Pulou um banco retorcido pelo fogo, tropeçou nos degraus que subiam ao altar e viu, incólume ainda, mas negra pela fumaça negra, a abertura que dava para a sacristia.

Não distinguiu, a princípio: parecia um gemido, mas devia ser o estalar do fogo, o gemido do fogo devorando as colunas do altar. Entrou pelo corredor de fumaça, sentiu o ar mais quente, a sacristia estava realmente em cinzas, uma fornalha. E isso o deteve. Ouviu novamente o gemido e procurou orientar-se outra vez, para retroceder. Jamais alcançaria a sacristia, e a única salvação que lhe restava era voltar, tentar sair com vida pela porta principal.

O gemido foi mais forte, e padre Mateus encontrou a pequena trilha imune às chamas: o piso de mármore que rodeava o altar-mor. Chegou-se o mais perto que pôde e encontrou, estendido no chão, o braço preso por uma coluna que tombara, o corpo de padre Lucas. Pelos pés, puxou o vigário, o gemido aumentou, mas o corpo não saiu do lugar.

Foi quando ouviu o estrondo. Pensou que o teto da igreja havia caído, sepultando tudo. Mas fora a porta. Os bombeiros chegavam e arrombavam a entrada principal. O estilete de água jorrado pelas mangueiras evaporou-se no meio da nave, ao contato com o calor da fornalha.

— Aqui! Aqui! Um ferido!

Dois bombeiros chegaram, conseguiram levantar a coluna e livrar o braço de padre Lucas. Padre Mateus puxou-lhe o corpo. O calor queimara o rosto do vigário, era um monstro que ali estava. Com o outro braço, o da mão mutilada, padre Lucas agarrava-se a uma coisa, apertando-a contra o peito.

— Que loucura, padre Lucas, que loucura!

Padre Lucas gemia, torcendo-se. Os bombeiros molharam-lhe o corpo com o poderoso jato de suas mangueiras e o retiraram, suspendendo-o como um cadáver. Padre Mateus seguiu o vigário tateando por entre os escombros incendiados. Lá fora, os bombeiros pediram uma ambulância, deitaram padre Lucas no chão.

— Salvamos o padre, mas a igreja está perdida!

Padre Lucas pareceu ouvir aquilo e ameaçou dizer alguma coisa, mas estava sem forças. Padre Mateus chegou mais perto, tomou-lhe a cabeça, o sangue brotava na testa, escorrendo pelo rosto enegrecido pelas chamas. Sentiu que o braço de padre Lucas — o braço são estava deslocado, desgrudado do resto do corpo. E completamente queimado.

— Padre, o senhor está bem?

Padre Lucas fez mais um esforço e deslocou o outro braço. As duas garras sanguinolentas surgiram. E, entre elas, o cibório com as hóstias consagradas.

— Toma, padre, fui ao sacrário, não pude salvar a igreja, mas salvei o mais importante.

Padre Mateus apanhou o cibório: estava vazio. As hóstias haviam caído, haviam sido devoradas pelo fogo.

Padre Lucas gemeu ainda:

— Eu creio, padre, eu creio!

O secretário abre a porta e afasta a pesada cortina de veludo vermelho. Padre Lucas penetra na sala de audiências do Palácio: o cardeal, sentado na escrivaninha, faz um movimento com o dorso para saudá-lo. Mas à vista do padre, escorregando na bengala de madeira que mais parece um guarda-chuva velho, levanta-se e ampara-o, até ajudá-lo a sentar-se na cadeira em frente.

— Como é, padre, já teve alta?

— Sim, Eminência, tive alta. Oito meses de hospital, mas aqui estou, para receber suas ordens.

— O senhor é forte, padre Lucas, um touro! Outro qualquer não teria resistido ao desastre.

— Carne ruim, Eminência, Deus não me quer lá em cima, ainda, tenho de penar por aqui mesmo.

O cardeal deu a volta por trás do padre, fixou aquela cabeça onde tonsura e calva se misturavam. Em torno das orelhas, o cabelo era grisalho ainda. Uma das orelhas enegrecera. A face correspondente trazia também os estigmas do fogo. E a manga da batina, daquele mesmo lado, pendia inerte, vazia, sem o braço que fora amputado. A outra mão, segurando a bengala, estava escondida, agora permanentemente, pela luva preta.

Para aquele escombro de homem, o cardeal não tinha o que ordenar.

— Padre, é a primeira vez que o vejo no Palácio. O senhor nunca me procurou antes, e já estou aqui há alguns anos.

— Não iria incomodar Vossa Eminência com os meus problemas e os meus fracassos. O seu antecessor recebeu-me algumas vezes, pedia-lhe coadjutor, era o meu único pedido. Isso sem falar no pedido inicial, quando quis ter a minha própria paróquia. Mas já vai tempo, e muita coisa aconteceu então.

— Bom, acredito que o senhor agora, com os sofrimentos por que passou, esteja mais resignado e aceite qualquer solução. Paróquia, o senhor sabe, não podemos nem pensar nisso.

— Mas eu tenho uma paróquia, Eminência. O que será feito dela?

O cardeal indicou, na parede contrária, o novo mapa da arquidiocese. Não era mais o mesmo mapa de seu antecessor. Coisa nova, colorida, com as ruas bem-desenhadas e atualizadas.

— O senhor enxerga bem, padre?

A curiosidade foi mais forte que a cautela, e padre Lucas fez esforço para levantar-se. O cardeal ajudou-o mais uma vez, levantando-o pelos ombros.

— Veja, padre, tivemos de reformular — a palavra está em moda — toda a nossa jurisdição eclesiástica. Novas paróquias, novos bairros, grandes concentrações de operários pelos subúrbios, enfim, a arquidiocese tinha um sistema complicado e inadequado às nossas atuais necessidades. Nomeei um grupo de trabalho para elaborar os planos, a sua paróquia foi extinta, por insuficiente e insignificante. E, além do mais, o senhor perdeu o seu navio, padre, perdeu a sua igreja.

— Mas o que vai ser dos meus paroquianos, da minha gente?

— Fique descansado, tudo foi providenciado. Aliás, nunca entendi a existência de sua paróquia. Mandei que fosse absorvida pela paróquia de São Joaquim...

— A do Peçanha?

— Não, o Peçanha não é mais vigário lá, mandei-o a Roma, especializar-se em línguas orientais, estamos precisando de um professor no seminário. Peçanha tem jeito para a coisa, é forte no grego e no hebraico, mandei-o ao Instituto Bíblico de Roma, um curso de cinco anos. O novo vigário é o José Maria, sobrinho do monsenhor Hugo, a paróquia de São Joaquim é o que é devido ao Hugo.

— Sei, sei, uma espécie de capitania hereditária. O seu antecessor, Eminência, desmembrou minha paróquia da do Hugo, deu-me algumas ruas, havia conflitos com a Ordem...

Instintivamente, padre Lucas procurou no mapa a zona de vermelho, a palavra destacada: DIABOLUS. Precisou orientar-se com a mão enluvada, percorreu várias ruas até atingir o local. Não viu nenhuma zona em vermelho. Deu com uma cruz, caprichosamente desenhada. Sob a cruz, em caracteres góticos: HOSPITAL DA VENERÁVEL ORDEM TERCEIRA.

— O diabo é venerável agora!

— Como?

— Nada, Eminência, lembrei-me de uma anedota que o antigo cardeal gostava de contar, mas não importa.

Procurou também pela sua igreja. Nenhum vestígio dela no mapa. A cor azulada, que nascia no núcleo da igreja de São Joaquim, invadia todas as suas ruas.

— É. Acabou!

— Sim, padre, a sua paróquia acabou. Mas o senhor ainda não acabou, precisaremos arranjar qualquer coisa para o senhor. Sabe, a conta do hospital foi tremenda!

— Fiquei na enfermaria geral, Eminência, não tenho nem fiz luxos, não sou de exigências, aceitei esta caridade de Vossa Eminência, mas não tenho recursos para pagá-lo. O senhor deve saber disso.

— Não se incomode, padre. O seu coadjutor — padre Mateus, não? — arranjou coisa melhor. Não tinha inimizades com a Ordem, deram-lhe um quarto confortável, e a despesa foi mínima, só mesmo os medicamentos. Já o senhor, apesar de ter ido para uma enfermaria geral, saiu-me caro, padre, saiu-me caro...

Lucas abaixou a cabeça. Consumira sua vida num sacerdócio pobre e honrado, não tinha nada, nada de seu, afora suas chagas e estigmas.

— Mas, Eminência, ainda posso ajudar, quero fazer qualquer coisa.

— Não, padre, o senhor já não pode ajudar. E há um assunto que precisamos deixar bem claro. Chamei-o aqui mais para isso. Sente-se, padre, eu o ajudo.

O cardeal levou padre Lucas até a cadeira e o sentou. Deu volta à escrivaninha e arriou-se em sua poltrona de damasco vermelho:

— Padre, a Câmara Eclesiástica moveu um processo contra o senhor e sugeriu uma punição: o senhor terá as ordens suspensas.

— O quê?!

Sob a luva, o cardeal percebeu que os cotos dos dedos tremeram de surpresa e raiva.

— Mas, Eminência, não tenho nada a pesar em minha consciência!

— Sei, padre, sei, tranquilize-se, não há nada contra a sua virtude, contra o seu comportamento pessoal. Fizemos um levantamento completo de sua vida, e nada foi dito ou provado contra sua conduta sacerdotal. Apenas o seu desleixo foi considerado quase criminoso...

— Criminoso?!

— Espanta-se, padre? O senhor sabe por que a sua igreja pegou fogo?

— Não. Ainda não sei. Ventou muito naquela noite maldita e talvez o vento provocasse algum curto nos fios...

— Não, padre, não foi por acaso que sua igreja pegou fogo. Os bombeiros fizeram a perícia, e a polícia anda à procura do criminoso. O senhor sabia que abrigava em sua casa um assassino?

— Sabia. Dei-lhe abrigo. Parecia-me uma pessoa recuperável. Usei-o como empregado em minha casa, era de absoluta confiança, nunca duvidei de Ismael.

— Pois é esse mesmo Ismael que a polícia anda procurando. Foi ele quem botou fogo em sua igreja, padre. A perícia provou isso. Fez uma fogueira com jornais velhos na sacristia, jogou querosene nos bancos da igreja. Não podemos correr certos riscos, padre, o seu desleixo custou-nos muito, e foi um péssimo exemplo, quase um escândalo. Imagine se todos os padres abrigarem todos os criminosos! Por isso, tendo em vista o seu estado, a sua idade, o senhor é quase incapaz para o apostolado, anda com dificuldade, perdeu um braço, a outra mão...

Padre Lucas recolheu abruptamente a mão de cima da mesa, colocando-a fora das vistas do cardeal.

— ... por tudo isso, padre, aprovei o relatório da Câmara Eclesiástica e suspendi o senhor das ordens. O senhor continuará celebrando; afinal, nada contra a sua virtude pessoal foi provado ou suspeitado. Poderá celebrar regularmente, mas ficará impedido de confessar, casar, batizar, enfim, o senhor deve saber o que o direito canônico prescreve para casos assim.

— Quer dizer, Eminência, que, depois de quase quarenta anos de sacerdócio, sou enxotado do clero, sob opróbrio, para passar fome na rua?

— Não exagere, padre, isso não chega a ser um opróbrio. Veja o seu estado, o senhor está incapacitado para o exercício regular do sacerdócio. E não precisa se preocupar tanto com as coisas materiais. Preocupe-se com sua alma, procure acertar suas contas com Deus, mais dia menos dia o senhor será chamado, não por mim, que sou um pobre homem como o senhor, sujeito aos mesmos pecados e misérias, mas por Deus, que é misericordioso, sim, mas é justo, e saberá cobrar os talentos e as graças desperdiçados ou mal-aproveitados.

— Mas vou passar fome na rua do mesmo jeito, Eminência.

— Já disse para não se preocupar tanto com as coisas do mundo. Nós não deixaremos o senhor desamparado. Conheço um asilo de velhos, lá precisam de um padre para as missas, o senhor poderá morar lá, terá casa e comida, companheiros da mesma idade, enfim, essa será a sua messe, a sua seara. Um padre não pode escolher muito, em qualquer canto encontrará o que salvar. O senhor não irá como indigente. Irá como padre, mesmo. O resto, dependerá de seu comportamento. É o máximo que poderemos fazer pelo senhor.

Padre Lucas olhava o chão.

— Esperava coisa melhor, padre?

— Não. Estava lembrando uma coisa. Onde anda o padre Mateus?

— Dando cabeçadas por aí. Ficou bastante ferido com o incêndio, esteve internado no Hospital da Ordem, encrencou-se lá, parece, não consigo penetrar naquela alma estranha.

— Pois ele costumava dizer: ninguém pode ajudar ninguém, padre, ninguém pode ajudar ninguém.

— Deus pode, padre. DEUS FORTITUDO NOSTRA.

— Eminência, o senhor sabe o que é amar a Deus sobre todas as coisas?

O cardeal riu da pilhéria, e levantou-se para ajudar padre Lucas, levando-o até a porta.

Padre Mateus atingiu o último degrau do Asilo Santo Agostinho e parou para olhar a paisagem. Lá embaixo, a cidade. O sol da tarde refletia-se nos para-brisas dos carros, acendendo pontos luminosos nas ruas opacas. À direita, o pavilhão dos asilados. Em frente, depois da porta encimada por uma cruz, a casa da administração.

— Venho visitar o padre Lucas.

— O dia de visitas é aos domingos.

— Mas padre Lucas não é um asilado, é o capelão aqui.

— Capelão? Desculpe, padre, mas o padre Lucas é um simples asilado. O nosso capelão é o padre Valter, vem aos domingos, para a missa e as confissões. Padre Lucas perdeu a autorização para celebrar. No início, veio realmente como capelão, mas criou tantos casos que o diretor se queixou ao cardeal.

— Tenho algumas coisas dele, fui seu coadjutor há tempos, houve um incêndio em nossa igreja; na confusão, mandaram-me livros e objetos que devem ser dele. Gostaria de vê-lo.

O porteiro telefonou para o administrador. Padre Mateus não ouviu a conversa, mas o porteiro fez um gesto tranquilizador e, logo após o telefonema, decidiu acompanhá-lo.

— Eu o levo, padre, os asilados estão no pátio, fazendo hora para o jantar.

Padre Mateus acompanhou o homem pelo comprido corredor, primitivamente branco, agora encardido e sujo. Passou por uma porta trancada, o porteiro fez um gesto respeitoso:

— Aqui é a capela.

Desembocaram no pátio, grande e malcuidado. O capim nascia pelos cantos, só a área central estava coberta de pedrinhas.

Havia lama das chuvas recentes. Agrupados num banco, alguns velhos conversavam, curvos, as cabeças brancas tremiam ouvindo um ancião de cachimbo contar uma história. Mais para os fundos, outro grupo olhava uma árvore no terreno vizinho.

A chegada do padre e do porteiro não alterou a postura e o comportamento de ambos os grupos.

— Acho que o padre Lucas está lá para os fundos, cismou agora de construir uma gruta de pedras.

Atravessaram em diagonal o pátio e fizeram a curva no canto do alpendre que abrigava a comunidade nos dias de chuva. Junto ao muro dos fundos, inacabada, malfeita, frágil, havia uma gruta, ruína já.

— Lá está a gruta! Padre Lucas não encontrou ajudantes. No início, os velhos cooperaram, gostam de novidades, mas logo desanimaram. E ele, com aquela perna, aquele braço, não podia fazer muito.

— Padre Lucas?

— Sim.

— Uma visita para o senhor.

A bengala saiu primeiro e fincou-se, sólida ainda, enérgica, no terreno empedrado. Depois surgiu a mão enluvada. Enfim, o resto do corpo, o braço do pijama balançando contra o vento, oco, sem forma.

— Padre Mateus! Bondade sua incomodar-se com este velho!

Padre Mateus esperava que o encontro fosse afetuoso, mas, diante daquele rosto congestionado, um lado completamente queimado, o braço amputado, aquela perna rastejando como um apêndice malfixado ao corpo, sentiu voltar toda a animosidade antiga.

— Vim trazer objetos seus, padre. Depois do incêndio, recolheram muita coisa nossa e guardaram tudo em meu nome. Estive internado também, e foi custoso saber notícias suas.

Para se justificar da visita, apresentou o embrulho malfeito, amarrado por uma tira de pano velho.

— Sim, sim, dei por falta do breviário, mas agora, que estou suspenso de ordens, acho que já não estou obrigado a rezá-lo todos os dias.

O porteiro se despede:

— Deixo-os sozinhos. Daqui a dez minutos a sineta tocará o jantar, e a visita deverá estar terminada.

Mal o porteiro sumiu, padre Lucas esticou o beiço em sua direção:

— Uma boa bisca esse aí! Não vale a comida que come!

Mas logo esqueceu o porteiro e voltou-se para o antigo coadjutor:

— Então, padre, que que tem feito? Já é vigário?

— Não, padre Lucas, ainda não sou vigário. Nem coadjutor. O cardeal me arranjou uma capelania, estou descansando uns tempos; sabe, aquela doença piorou, fiquei bastante ferido com o desastre. E também estive ameaçado de suspensão de ordens.

— Sei, sei, imagino a conversa do senhor com o cardeal, e tudo por causa daquele caolho do Ismael. Mas a culpa é só minha, o senhor não tinha nada com a história.

— Não, padre, meu motivo era outro. Estive numas encrencas por aí, qualquer dia voltarei aqui para conversarmos melhor. Talvez precise de alguns conselhos...

— Quem sou eu, padre Mateus, para dar conselhos? Um pobre padre, coberto de opróbrio, ridicularizado em todo o clero, um incapaz... não sirvo nem para aconselhar esses infelizes daqui!

Com a ponta da bengala, afastou um pedregulho próximo ao sapato de padre Mateus.

— Pois, olhe, padre, nem ajuda tive para construir esta gruta. A capela lá de dentro é muito fria, muito nua para estes velhinhos. Pensei numa gruta, para reunir a comunidade nos meses de maio, aos sábados, para o terço dos domingos. No princípio me ajudaram, mas depois desanimaram. E eu também desanimei. Com os meus aleijões, já não sou mais aquele. Mesmo assim, para o maio do ano que vem, espero terminar a cobertura. Já arranjei pedras por aí; e cimento, quando posso, roubo da administração. Tinha um velho que me ajudava, era meu braço, mas fugiu pelo Natal, não suportou isto aqui, preferiu ir passar fome e vergonha na rua a viver nesta miséria.

A sineta tocou na tarde, e os diversos grupos de velhinhos se reuniram sob o alpendre.

— Muito obrigado, padre Mateus, pela visita. Estou sem braços para segurar o embrulho. Pode deixar na portaria, mais tarde colocam em minha cama.

Caminhava junto do antigo coadjutor, em busca do alpendre. — E o senhor ainda pensa em fazer-se frade?

— Não, padre Lucas, nunca pensei nisso. Lamento ter dado esta impressão ao senhor.

— É que havia tantas dúvidas... bem, o senhor era mais moço, menos sofrido, menos vivido, agora talvez compreenda o que Deus realmente quer de nós.

Padre Mateus fez um gesto para travar o passo rastejante de padre Lucas:

— Alguma coisa, padre Mateus?

— Não. É que eu queria dizer uma coisa, mas perdi a coragem. Padre Lucas olhou com carinho o seu antigo auxiliar. Mas logo encaminhou-se para a fila dos velhinhos, deixando atrás de si, imóvel e sofrido, o seu antigo coadjutor.

A sineta tocou novamente e a fila moveu-se, desordenada e ridícula, até sumir pela porta do refeitório. Sozinho no pátio, padre Mateus contemplou a gruta inacabada e teve vontade de rezar. Mas não pôde.

Messa pro papa Marcello

Romance

1998

I

Estou morrendo. Antes de mais nada, não me lamentem. O que está acontecendo comigo, de um modo ou outro, mais cedo ou mais tarde, acontecerá com todos, inclusive com você que agora está me lendo. Uns mais, outros menos, todos sentirão o que estou sentindo — e digo sentindo e não sofrendo. Sim, há a agonia da carne, que pode ser maior ou menor conforme as circunstâncias. Mas não é isso que importa.

A questão é saber se valeu a pena viver e se deixar a vida é doloroso. Em princípio, nada do que é inevitável devia ser doloroso. Aqui terminam os pontos comuns que nos unem no mesmo fim. Não posso — nem desejaria — avaliar a trajetória de cada um através daquilo que habitualmente chamamos de "vida". Interessa-me a minha própria caminhada, o percurso que me trouxe do berço até aqui, até esse momento em que sinto que não terei um amanhã e que o ontem, do ponto de vista em que agora estou, é apenas a muralha impenetrável de dias e sentidos que agora também não importam mais.

Nasci há alguns anos, mas tal como agora, o nascimento foi uma circunstância da qual participei passivamente, sem nada poder contra ou a favor, limitando-me a aceitar a condição humana. Não devo ter sentido dor ou espanto — e isso não tem importância.

A dor de alguma forma passou, o espanto foi mais recorrente — e não houve espanto maior do que descobrir que tinha uma consciência, uma consciência imposta por fatores, costumes, superstições, querências e pavores que inicialmente não eram meus.

Dito assim, parece que estou dando muita importância àquilo que chamamos de "consciência". Não é bem assim. Se tivesse nascido em outra época, em outra terra, se não tivesse conceitos e preconceitos que fui adquirindo ao longo do tempo, certamente teria uma consciência diferente daquela que se formou dentro de mim e à qual nem sempre fui fiel. Isso não chega a me condenar, tampouco me absolve.

Falei em "pavores", mas acho que exagerei. Na realidade, não me recordo de nenhum pavor específico. Medo sim — e descubro que fui resultado do medo, um medo carnal, permanente, que me colocou na contramão de todos os caminhos que percorri, na verdade, daqueles caminhos que me obrigaram a percorrer.

Não chego a acusar ninguém, nem mesmo a mim. Acho que, vivendo as circunstâncias que vivi, todos seriam mais ou menos o que fui. O mesmo serve para todos — daí que não encontro motivos para me lamentar, muito menos para me exaltar. Olhei o mundo que me serviram e nunca me perguntei para que eu próprio servia. No início de tudo, achava que um dia compreenderia alguma coisa, seria uma questão de tempo e modo.

O tempo passou e o modo não foi encontrado, ou melhor, nunca foi aceito. Agora, que o fim está próximo, percebo que tudo podia ser pior, mas também podia ser melhor.

Sim, fui um homem — por mais repugnante que isso possa parecer.

***

Nasci duas vezes. A primeira, como todo mundo. A segunda, na passagem dos 19 para os vinte anos, quando saí do seminário.

Procurei encontrar um nexo entre os dois nascimentos, e, curiosamente, descobri que nada de comum havia entre eles. Exceto o medo, que foi bem maior no segundo. No primeiro, faltou-me lucidez para entender por conta própria as coisas — aceitava-as com uma curiosidade que só não era plácida porque não as entendia.

Isso não quer dizer que passei a entender alguma coisa depois. Apenas, deixei de me preocupar com isso. No fundo — pensava — os outros também não entendiam nada e todos continuavam vivendo. Alguns alucinados até que acham graça nisso.

Olhando tudo em conjunto, houve momentos em que também me diverti com a vida, sobretudo quando sentia que a vida se divertia comigo. No dia em que, tentando tocar um prelúdio de Frescobaldi, decidi improvisar e comecei a tocar aquilo que me parecia escalas em tom maior. De repente, surgiu um fiapo de melodia e eu a persegui, achando que estava criando alguma coisa parecida com um oratório.

O professor que me dava aulas olhou espantado para mim e perguntou:

— Onde você ouviu isso?

Ia responder que tentava seguir uma sequência de notas, a melodia surgira sem querer, sem que eu a buscasse.

— Mas isso é o "Gloria" da *Messa pro papa Marcello*!

Nunca ouvira esta música, sequer sabia que existia uma peça com esse nome e muito menos com aquela melodia.

Corrigiu a posição do banco, expulsando-me com o seu corpo.

Fez uma variação complicada, mudou com habilidade o tom maior para o menor, empurrou alguns registros e abriu outros, respirou fundo e engrenou a melodia.

Era fácil descobrir que aquilo era realmente um "Gloria". Conhecia outros "Gloria", os de Schubert, Mozart, Beethoven, os deliciosos "Gloria" das missas gregorianas, e os dois imponentes "Gloria" das missas Eucarística e Pontifical, de Perosi, que era o autor mais executado naquele tempo em todos os seminários do mundo. Muitos anos mais tarde, numa de minhas idas a Veneza, de repente dei com uma placa de mármore cravada numa velha casa perto de uma das pontes de acesso à Piazza San Marco. Nela ficara registrado que ali vivera Dom Lorenzo Perosi — por sinal, não muito longe da igreja onde Vivaldi, séculos antes, fora ao mesmo tempo pároco e organista.

Mas não era isso que me espantava naquela ocasião. Eu me considerava um puro, um adolescente bem-intencionado, um aluno de órgão esforçado, preparando-me para ser um dos organistas da comunidade, mas somente isso, nem mesmo escolhera aquela função, fora reprovado no teste de voz para integrar o coro, a alternativa, já que precisava aprender alguma coisa de música, era enfrentar o harmonium, mais tarde o órgão. Não pretendia me dedicar ao instrumento, nem mesmo ao estudo sério da música, muito menos à composição.

Naquele instante, notando o padre entretido com a sua banana, achei que podia brincar um pouco no teclado e saí da pauta, iniciando aquilo que me parecia uma variação óbvia. Nada de estranho nisso. Já o fizera outras vezes, quando me exercitava sozinho, acho que todos os alunos de um instrumento, massacrados pela chatice e pela monotonia das lições e exercícios, comumente o fazem.

O que me assombrava era como pudera aquele homem sebento, cheirando a cebola, com uma casca de banana no bolso da batina, aproveitar o improviso banal e em tom errado e dele partir para uma melodia sofisticada?

De repente, ou porque não soubesse ir adiante, ou porque se lembrara que estava ali para me ensinar, o padre estancou a melodia com brutalidade, catando e acionando com o pé esquerdo o dó mais profundo da pedaleira.

Fez novamente a pergunta:

— Onde você ouviu isso?
— Não ouvi. Para ser sincero, ouvi agora.
Ele me olhou com severidade, achando que eu mentira.
— Nunca ouviu falar em Palestrina?
Entendi "Palestina" e disse que sim. Era a terra em que vivera Nosso Senhor Jesus Cristo, Maria, José, os apóstolos.
— Não falei Palestina. Falei Palestrina. Nunca ouviu falar nele?
— Não.
Por um instante ele ameaçou me ensinar quem fora Palestrina. Mas além de sebento era preguiçoso. E estava ali para ensinar um jovem a arranhar o órgão para os serviços da capela, acompanhar o coro nas músicas tradicionais do culto, o "Tantum Ergo" de Perosi, a "Ave Maria" de Soma, a missa "De Angelis" do gregoriano, o trivial variado da comunidade.

René Bragança, o organista oficial, que cursava o sexto ano, breve iria para Roma fazer filosofia, eu deveria substituí-lo, precisava andar depressa, não podia perder tempo em improvisos, em contrapontos fora do serviço religioso, muito menos em composição.

O padre desligou a chave do órgão — forma que encontrou para avisar que não iria me ensinar quem fora Palestrina e muito menos para tocar até o final o "Gloria" da *Messa pro papa Marcello*. Desligando a chave do instrumento ele me avisava que a aula acabara.

Levantou-se do banco, meteu a mão num outro bolso da batina e surgiu com uma banana nova. Enquanto se afastava, começou a descascá-la com carinho.

Recolhi meus cadernos, o *Manual do perfeito organista*, do professor Furio Franceschini, que era mestre-capela no Seminário Central da Imaculada e que estava em evidência naquele ano porque ganhara o concurso nacional para a escolha do Hino do Congresso Eucarístico de São Paulo.

***

Dez anos depois, apaixonado por Ebb — uma filha de suecos que era solista no Corpo de Baile do Teatro Municipal do Rio de Janeiro —, sentei no piano de um inferninho naquela zona braba da Major Sertório, em São Paulo. Acho que se chamava "Teteia". Toquei a música que ela me pedira e que era a mais badalada naquele ano: "Unchained Melody". Tirei-a de ouvido, não me habituava ao piano, jamais me habituaria, não me conformava com o teclado estático onde os sons não podiam ser controlados pela pedaleira (o pedal nunca é a mesma coisa). No piano, o pedal pode liberar ou abafar as cordas, somente isso. Na pedaleira, o som pode ser prolongado infinitamente sem perda de tom: afinal, a diferença mais óbvia era essa mesma, o piano é instrumento de corda, o órgão é instrumento de sopro — um sopro que se pode regular e modular de acordo com o nosso próprio sopro, nosso alento, nossa vida.

Ebb ficou ao lado do piano, cantarolou a letra baixinho, tinha boa voz, seu repertório era delicado como ela própria, gostava de "Alone", de Nacio Herb Brown, canção que ouvíramos em *Uma noite na ópera*, dos Irmãos Marx. Gostava de "Tornerai", que ela cantava no original, em italiano, apesar da versão mais conhecida ser a francesa, "J'Attendrai", gravada por Jean Sablon (na verdade, uma adaptação do coro que serve de *intermezzo* a Madama Butterfly.)

Quando acabei a "Unchained Melody", um sujeito embriagado aproximou-se do piano. Ele não percebera que o pianista oficial do inferninho descansava, tomou-me como empregado da casa ali colocado para servi-lo. Com a voz engrolada, pediu outro sucesso da época:

— Chega de velório! Toque uma coisa alegre, como "Os Pobres de Paris".

Eu disse que não sabia — o que era verdade, ouvira duas ou três vezes aquela melodia dançante, não a guardara, não a tomara para mim. Ele assoviou os primeiros compassos. Olhei Ebb, ela parecia divertida, tomei o sorriso dela como aprovação e, aproveitando o assovio do sujeito, iniciei o ritmo sincopado que parecia sair de uma pianola do final do século XIX.

Concentrado em manter o saltitado da melodia, nem percebi que o sujeito deixara de assoviar. Quando olhei para o lado, ele dançava com Ebb na pista vazia. Ela mais alta do que ele, não faziam um par elegante na pista que por sinal nada tinha de elegante. E mantinha a postura de bailarina, na verdade, era solista, sua figura esguia, parecendo flutuar no ambiente esfumaçado do inferninho. Tudo nela contrastava com a figura lamentável do sujeito atarracado que, tendo bebido demais, mal se sustinha em pé.

Achei aquilo um desaforo, larguei o piano e fui separá-los. Empurrei o sujeito com força, ele não reagiu, acho que chegou a balbuciar uma desculpa na base do "eu não sabia…" e voltou para a mesa dele.

Ia reclamar de Ebb, mas ela se antecipou:

— Você não devia ter feito isso. Ele estava se divertindo.

— Mas eu não estava.

Segurei-a pelo braço — os braços dela eram brancos, eu gostava de vê-los se movimentando no segundo ato do *Lago dos Cisnes* — e levei-a para fora.

Na calçada, olhei o edifício Copan, que estava em final de construção. Sendo o mais alto daquele trecho, sua curva de concreto aparente era novidade naquela época, uma vez pronto seria considerado um dos logotipos da cidade. Mas em arcabouço, com seus andares curvos entupidos de treva, destacado do céu sem estrelas, tinha alguma coisa de assustador.

— E você? Também estava se divertindo?

— Não. Mas você estava melhor tocando aquele foxe idiota do que o "Unchained Melody".

Era a segunda vez, naqueles dias de nossa escapada em São Paulo, que ela se referia à minha superficialidade. Na véspera, reclamara do jeito com que a possuíra. Não a olhara nos olhos, como ela gostava, mas nos ombros dela, que eram tão brancos como os braços e que também me excitavam.

Eu me defendera como pudera:

— Sempre olho para você... estou sempre olhando para você...

— Ontem você estava de olhos fechados...

— Gosto de seus ombros... são brancos... suaves...

— Mesmo assim devia ter olhado.

* * *

Saber olhar, saber ouvir.

A história que li não sei onde, de são Vicente de Paula. Ele ia com outros padres ouvir confissões, os penitentes faziam fila diante de seu confessionário, enquanto os outros ficavam às moscas. Os padres estranhavam aquilo, um dia interpelaram o santo: — "Que diabo você faz que todo mundo vai para o seu confessionário e nós ficamos às moscas?" Vicente de Paula respondeu: — "Eu sei ouvir".

Até que ponto aprendi a olhar e a ouvir? Ou essas coisas não se aprendem? Acho que é isso. Estou procurando entender o que aconteceu comigo na tarde de ontem. Tudo foi tão simples, tão natural, que aparentemente nada há para entender ou lembrar. No entanto, desconfio que alguma coisa me escapou, que eu não soube ver nem ouvir — e isso não seria uma novidade em minha vida, houve precedentes até mais graves, ou, pelo menos, mais sérios.

Caminhava mais ou menos sem destino, fazendo hora para um compromisso de trabalho, entrevistar um candidato a uma vaga de fiscal na empresa da qual minha irmã é vice-presidente executiva. O normal seria que o candidato fosse à minha sala, levasse seu currículo, se submetesse ao interrogatório padrão. Mas minha irmã tinha ideias — não era à toa que, aos 35 anos, chegara ao topo da empresa, só ficando subordinada ao dono, que pouco a pouco transferia para ela todo o poder de decisão.

Sandra inaugurara aquele sistema: quando abria um claro importante no organograma da empresa, não adiantava convocar candidatos pelos meios tradicionais. Mandava colocar um anúncio nos jornais especializados em mercado de trabalho, selecionava dois, três nomes, mandava que eu contatasse cada um deles, mas em vez de pedir que eles viessem a mim, eu é que ia até eles, em geral na própria residência ou, se o caso permitisse, visitava-os no cargo que ainda ocupavam.

Era então importantíssimo que eu soubesse ver e ouvir. Evidente que a avaliação final ficava por conta de Sandra, mas ela confiava em mim, sabia-me cético e sem entusiasmo para me deslumbrar com aparências. Embora não fosse muito diferente de mim, ela condenava meu pessimismo, minha tendência a jogar tudo para baixo.

Pois ia eu, fazendo hora para o tal compromisso, encompridando as calçadas da avenida Rio Branco. Cinco minutos antes, entrei no prédio indicado, um combalido elevador dos anos 1930 levou-me ao sétimo andar onde funcionava um escritório de advocacia, onde eu era esperado. A recepcionista indicou-me uma sala dos fundos, que obviamente levava à sala menos importante daquele conjunto que, em linhas gerais, não tinha muita importância, era um escritório pobre, ou, pelo menos, decadente.

Um rapaz levantou-se à minha chegada. Era alto, não muito magro, um bigode bem-tratado, pele muito branca. Se o escritório era decadente, ele estava bem longe disso: dava a impressão de um vencedor, de um sujeito que sabia o que queria e que se habituara a querer o que era realmente importante.

Pela primeira vez em entrevistas iguais, tive a sensação de que o entrevistado era eu. Ele conduziu a conversa, deu as informações que nem cheguei a pedir, mostrou-se interessado em melhorar de nível profissional, ali naquele escritório — como facilmente podia ser constatado — tudo estava finito, o advogado principal tivera um derrame, ficara semiparalítico, perdera clientes, um dos filhos substituía o pai e fatalmente herdaria o negócio, a ele, simples empregado, que ali começara quando ainda estagiário no último ano da faculdade de direito, ficaria reservado o abnegado papel de levar tudo nas costas pelo salário que era pequeno, sem direito às comissões que como sempre constituem o lucro maior da profissão em seu estágio inicial.

Nem precisei abrir a boca. Ele adiantou o motivo pelo qual respondera ao nosso anúncio: sempre ouvira falar bem da nossa empresa, sobretudo de Sandra. Perguntei se a conhecia. Ele disse que sim, vira uma foto dela numa coluna social, e que a imagem dela no mercado era ascendente.

Sim, era uma resposta previsível, qualquer profissional competente ou em vias de se tornar competente diria a mesma coisa, com isso mostraria, entre outras coisas, que estava bem-informado.

E tão bem-informado estava que parecia conhecer as regras que Sandra impunha aos candidatos: um mês de salário fixo, sem comissão. No segundo mês, um salário reduzido e uma comissão modesta. Somente a partir do sexto mês seria feito o contrato definitivo, estipulando a parte fixa e a variável do salário.

O sujeito parecia saber disso tudo, e tudo aceitava. Ganhava razoavelmente bem para a atual situação do escritório em que trabalhava há dois anos. Mas sentia que ali não havia futuro para ele, ainda que o negócio de repente melhorasse. O importante para ele, naquele ponto de sua carreira, não era o dinheiro, mas "continuar aprendendo".

Foi isso, exatamente, o que não soube ver ou ouvir. Muito menos entender. O que significava "continuar aprendendo"? O sujeito era jovem, mas estava empregado, com salário certo, natural que desejasse melhorar de vida e de padrão profissional. Mas continuar aprendendo? O que isso significava?

Trocamos cartões. Mais por formalidade, aludi ao currículo, que ele prontamente tirou de uma pasta que guardava numa gaveta. Passou-me um envelope.

Geralmente, abro esses envelopes ou pastas, para ler à frente do freguês suas qualificações e possibilidades. Mas desta vez achava que não precisava. Pela pressão que fiz contra o envelope percebi que ali não havia foto — uma exigência que não era obrigatória, mas que às vezes se tornava necessária.

Sandra podia ser tudo na vida, menos racista. Contudo, o dono da empresa não abria mão de somente admitir a seu serviço pessoas brancas, se possível louras, de olhos claros — era filho de sueca com alemão. Apesar de se vender como empresário liberal e moderno, e do esforço em fazer que os outros esquecessem suas raízes (diziam que sua família tinha prosperado, tanto na Alemanha como na Suécia, nos tempos de glória do nazismo), ele fazia péssimo juízo daquilo que chamava de "mediterrâneos". Eu era mediterrâneo, cabelos negros, olhos negros, mas era tolerado porque era irmão de Sandra, essa sim, apesar de minha irmã pela metade, filha de minha mãe em seu segundo casamento, era loura, escandalosamente loura, e de olhos tão infinitamente azuis que pareciam brancos, sobretudo quando tinha raiva.

O envelope que o rapaz me entregou não tinha foto. Ele percebeu o movimento que fiz ao apalpar o currículo, para ver se havia alguma coisa que pudesse dar a impressão de ser uma foto.

— Não coloquei uma foto. É mesmo necessário?

Disse que não.

***

Quando voltei ao escritório, esperei que Sandra me chamasse, o que ela só fazia pelo fim do expediente. Mas havia alguma pressa em preencher aquele claro na divisão jurídica e ela, tão logo soube que eu chegara, pediu que fosse a seu gabinete.

Perguntou se algum dos três candidatos servia.

— Não sei. Só entrevistei um. Acho que serve.

Ela me olhou com curiosidade, sabia-me escrupuloso quando recebia uma missão dela, havia ocasiões em que, sem que recomendasse nada, desejava que eu funcionasse como seus olhos, seus ouvidos, sua cabeça.

— Que tal é ele? — perguntou.

— Pode não ser o ideal mas tem cara disso — respondi.

Ela estranhou:

— O que é ter "cara disso"?

— Trabalha num escritório decadente, o chefe teve derrame cerebral e as coisas não vão bem ali. Mas se o escritório está no fim da linha, ele está bem longe disso. Chama-se Vicente. Mas acho que o chamam de Vic, ou ele mesmo gosta de ser chamado de Vic. Na mesa dele havia uma agenda de couro com este nome gravado. Desconfio que tem bom gosto.

— Você acha?

Não foi fácil para mim aceitar o fato de sermos irmãos. Eu estava internado no seminário, nunca pensei seriamente em ser padre, mas o pai era religioso, tinha sido noviço dos beneditinos numa época em que foi moda, entre os universitários, seguir as regras de são Bento. No início dos anos 1930, um movimento leigo que se fundou no Rio atraiu centenas de jovens para a vida comunitária, acadêmicos de medicina, direito e engenharia, principalmente, bateram às portas dos conventos, alguns seguiram a carreira e professaram votos, outros ficaram no noviciado, voltaram ao que chamavam de "século" mas continuaram praticando a religião até mesmo com algum fanatismo.

O pai foi um desses jovens, largou o curso de medicina e passou quase dois anos entre os beneditinos, primeiramente no Rio, depois em Lausane. Nunca se explicou — nem ninguém lhe pediu essa explicação — sobre seu retorno ao "século". Casou-se logo depois de ter voltado da Suíça, reatando um namoro que era um meio noivado com aquela que seria mãe de Sandra.

Aos dez anos, o pai me convenceu a tentar o seminário, não reagi por vários motivos, inclusive pelo principal: mesmo sem ser religiosa, notei que a jovial madrasta mãe aprovava a ideia de me ver longe de casa. O regime dos seminários, naquele tempo, era duro, passava-se o ano inteiro sem nenhum contato com o mundo, nem mesmo com os pais. Fiquei um estranho para eles na mesma medida em que eles se tornavam estranhos para mim.

Não foi surpresa quando soube que viviam mal. O pai morreu quando eu tinha 12 anos, depois do enterro os padres me permitiram passar uma semana em casa. Naqueles dois anos em que ficara longe da família, a jovial madrasta conhecera aquele que seria o pai de Sandra. Era um belo homem, alto e um pouco ruivo, neto de suecos, de grandes silêncios, mas poucas ideias. Apesar da pouca ou nenhuma intimidade que tive com ele, logo percebi que era um antípoda do pai: dava-me a impressão de nunca ter lido um livro e a única revista que lhe despertava algum interesse era o boletim do Jóquei Clube Brasileiro, do qual era sócio e frequentador.

Pior mesmo foi que, nem o pai fizera um ano de morto, e a mãe engravidou daquela que seria minha meia-irmã. Bem, eu estava num seminário, esses emocionantes eventos domésticos ficavam longe e mais longe ficavam porque, de repente, e apesar da pouca idade, me pesquisei seriamente sobre se devia ou não seguir a carreira religiosa. Já estava metido no brinquedo, dentro da rotina religiosa, pouco me custaria levar aquilo tudo a fundo. Por mais que me espremesse em busca de uma vocação, nada encontrava dentro e fora de mim que me levasse a dedicar corpo e alma ao serviço de Deus ou a qualquer outro serviço a qualquer outra entidade.

Quando terminei o curso preparatório fizeram-me uma avaliação e decidiram que eu não dava para a coisa. Fui aliás o primeiro a concordar com tal exame. Aos 19 anos, embora fosse disciplinado e relativamente estudioso, não revelara nenhum interesse pela vida mística. Um dos padres, que periodicamente me chamava para aquilo que era rotulado de "direção espiritual", era um excelente homem apesar de tudo, disse que chegava a duvidar da minha fé.

— Afinal, você acredita mesmo em Deus?

Da boca para fora disse que sim, que acreditava, afinal, eu fora assim educado, primeiramente pelo pai, depois pelos padres. Mas na realidade nunca perdera tempo em pensar em Deus, em outra vida, em bem ou em mal. Na verdade, eu procurava não pensar em nada, aprendia o que me ensinavam, dois mais dois eram quatro — e pronto. Pouco me importava se dois mais dois eram realmente quatro, se fossem cinco ou três davam na mesma, ao menos para mim. Não era o caso de viver ou morrer pela evidente razão de que dois mais dois eram quatro.

Estendia esse raciocínio a tudo o mais, inclusive a Deus. Apesar de perceber que estava sendo convidado a deixar o seminário, não por mau comportamento ou deficiência escolar, mas pelo fato de não ter sentimentos religiosos profundos, não guardei qualquer ressentimento pelos padres, muito menos pelo seminário em si.

Até que apreciava aquela vida razoavelmente recolhida, horários certos para se fazer as coisas, o tempo que me deixavam livre para estudar, inclusive os rudimentos do órgão no qual fiz pouquíssimos progressos porque, uma vez treinado para acompanhar o modesto repertório das cerimônias comunitárias, nunca me dediquei realmente a dominar o instrumento. Pensando bem, naquele tempo, como hoje talvez, sempre preferi ser dominado a dominar.

* * *

Se foi bom deixar o seminário, foi péssimo voltar à família, pelo menos, à família que eu tinha. Estranhei a casa sem o pai e estranhei principalmente o homem que tomou o lugar dele. Minha mãe fazia o possível para que o aceitasse, ela percebia que, embora domesticado pelo seminário eu tivesse convivência fácil com as dificuldades desse tipo, era-me custoso gostar daquele sujeito que, entre outras coisas, parecia ter um furor sexual fora de controle: algumas vezes, durante o jantar, sem mais nem menos, ele olhava para a mãe, se cutucavam por baixo da mesa, riam, olhavam-se com fome e deixavam Sandra e eu sozinhos. Iam para o quarto. Prometiam voltar logo.

Geralmente não voltavam.

Daí nasceu a intimidade com minha meia-irmã. Apesar da diferença de idade — quase cinco — criamos uma cumplicidade que duraria pelo resto da vida. Eu com 19, ela com 14, pouco teríamos a fazer juntos. Mesmo assim fazíamos o que era possível.

Fica difícil explicar, sobretudo para mim mesmo, a dependência que pouco a pouco fui criando em relação a Sandra. Agora, quando me aproximo dos cinquenta anos, é mais fácil, até mesmo mais cômodo: sou funcionário da empresa que ela de certa forma dirige e é quase dona. Bem verdade que posso me considerar um funcionário competente, não devo a ela a minha situação, podem me acusar de muitas coisas menos de dever à minha irmã o posto que ocupo. Fui bom aluno na faculdade de direito, até mesmo excelente, dispunha da boa base de humanidades que o seminário me dera.

Cheguei a trabalhar num pequeno escritório de advocacia trabalhista, houve um momento em que pensei num concurso para juiz do trabalho, preferia continuar estudando a advogar, a assumir o lado braçal da profissão, ouvir partes, procurar clientes, resolver demandas.

Cinco anos mais velho do que minha irmã, não podia aceitar a ideia de que dependia dela, antes mesmo de ser seu funcionário. De maneira que aceitei com placidez as funções que por muitos anos desempenhei, a de ser "olhos e ouvidos" dela. Afinal, era isso exatamente o que eu desejava desde que, na festa dos seus 15 anos, quando todos foram embora e eu perguntei se ela estava feliz, Sandra segurou minha mão, puxou-me a si, beijou-me com suavidade na boca, encostando seus lábios nos meus. E disse: — "Sim, estou feliz e estarei sempre feliz se você for meu."

**

Inútil, sem ser doloroso, recordar aquilo que costumam chamar de "anos de formação". Fui até certo ponto irmão, professor e pai de Sandra na sua infância mais profunda. Tanto minha mãe, como o padrasto, aceitaram com entusiasmo minhas funções. O padrasto era desligado mesmo, além das corridas de cavalo, o que mais o empolgava era, ao que me parecia, minha própria mãe.

E ela, que para mim fora não apenas a mãe presente, mas carinhosa, em relação a Sandra parecia uma estranha, uma outra mãe. Cheguei a pensar — e depois tive certeza — de que aquela filha temporã fora um acidente de trabalho. Naquele tempo ainda não havia pílula que evitasse a gravidez indesejada, os métodos em prática eram aleatórios, davam ou não davam certo. Uma vida sexual normal incluía, genericamente, alguns abortos e, no intervalo deles, algum filho não muito desejado. Foi o caso de Sandra. E ela percebeu isso mais cedo do que eu esperava.

Eu acabava de corrigir uns exercícios que passara para ela, reforçando domesticamente seu curso ginasial. Sandra se submetia com docilidade a esse acréscimo de estudo, dava a impressão de ter pressa, muita pressa, eu não sabia bem de quê.

Um dia perguntei-lhe isso:

— Pressa? Eu fiz o que você pediu, não está bom?

— Está. Mas você comete algumas bobagens, na pressa de acabar nem repara que errou. Por que faz tudo voando, como se o mundo fosse acabar?

— Taí. Eu não quero que o mundo acabe, mas gostaria que tudo passasse depressa... essa casa... esse tempo de escola, de exercícios... de que adianta acordar amanhã se tudo será a mesma coisa?

— Você quer acordar no futuro... tudo bem, mas não precisa se afobar, ele chegará de alguma forma, se tiver de chegar.

— Pois que chegue logo.

Para uma garota que era quase uma menina, o diálogo poderia parecer adulto demais. Mas ela não convivia com crianças de sua idade, tirante as aulas no ginásio, vivia dentro de casa, apesar da diferença da idade era comigo que ela não apenas estudava, mas brincava e vivia. De certa forma, eu era o seu mundo. Ensinei-lhe não apenas o que aprendera no seminário, mas a jogar xadrez e o pouco que sabia de música.

Num de seus aniversários ganhou um piano, dei-lhe as primeiras noções, mas ela se encheu. Ficou surpreendida quando lhe disse que também não gostava do piano, que preferia o órgão. Já lhe havia ensinado a diferença e comprei alguns discos com solo de órgão, coisas profanas, como a "Dança das Horas", de Ponchielli, além do "Panis Angelicus", de César Franck. Era o que havia, na época, nas lojas de discos.

Apesar da pobreza do repertório, ela aprendeu comigo a gostar daquele som cavado, profundo, que parece vir das entranhas da terra desolada. Quando fez 15 anos, o padrasto deu-lhe um carro zero quilômetro e minha mãe sugeriu que ela fosse conhecer as cidades históricas de Minas. Sandra considerou a sugestão um saco, pediu-me a opinião, eu exaltei as cidades históricas, e o fiz com algum interesse, pois a sugestão da mãe me incluía no pacote da viagem como uma mistura de motorista, guia turístico e responsável civil.

O carro era um Gordini cinza grafite, de fabricação nacional — a indústria automobilística era um dos orgulhos daquele tempo, início dos anos 1960.

Não me lembro se foi em Sabará ou em Ouro Preto. Acho que em Ouro Preto mesmo, quase chegando a Mariana, que é perto. Visitamos uma velha capela, sem nenhuma obra de arte apreciável, por isso mesmo estava numa decadência sofrida e ostensiva. Por acaso, conhecia dos tempos de seminário o padre que dela tomava conta. Esse "tomar conta" resumia-se em ter as chaves da velha porta que só raramente era aberta.

O padre emprestou-me as chaves, só pediu que não mexesse em nada e a fechasse depois da visita.

— Não sei o que vocês pretendem encontrar nela. Há anos que ninguém pede para visitá-la.

Sandra comentou que por isso mesmo talvez fosse mais interessante do que as outras.

O padre olhou-a surpreendido, uma garota, carioca típica da Zona Sul, que mal acabara de completar 15 anos, esnobando as obras de Aleijadinho e Ataíde. Quem era ela afinal?

Não me fez a pergunta mas li-a em seus olhos espantados. Depois, como se pensasse num pormenor sem importância, foi condescendente:

— Bem, talvez você tenha razão. Há uma lenda a respeito dessa capela... um crime de morte... o marido de uma mulher muito bonita desconfiava que ela o traía com o capelão, um padre português que por acaso se chamava Amaro... veja só, a coincidência, a vida imitando a arte... o marido matou-a durante a missa, na hora da comunhão, quando ela abria a boca para receber a hóstia do padre que seria o seu amante. O marido também matou o padre, que estava com todos os paramentos do ofício que celebrava. Virou assombração, um fantasma inarredável desta capela, mal comparando, um corcunda de Notre-Dame sem corcunda e sem Notre-Dame. Há gente que, ao longo dos anos, garante ter visto o padre, com as vestes daquele tempo, barrete, casula dourada, alva e manípulo, montado numa mula sem cabeça, fugindo por esses montes e vales... sabe como é, Minas tem muitas lendas assim... Daí em diante, o senhor arcebispo de Mariana interditou a capela, houve uma cerimônia complicada para exorcizar aquele sangue derramado na Casa do Senhor, durante algum tempo ainda houve uns restos de culto mas o povo começou a fugir dela... sabe, gente supersticiosa... e uma capela profanada não faz o gênero do devoto local.

— Mas devia atrair turistas — comentei eu.

— Por que devia atrair turistas? — perguntou Sandra, que tinha os olhos abertos, abertos e enormes.

— Não sei. Falei por falar.

Fomos sozinhos, eu com as chaves, já enferrujadas pelo pouco uso. Custei a abrir a porta, grossa e alta, comida pelo cupim e que um dia estivera pintada com aquele verde colonial do resto da cidade. Do ventre da capela veio um pesado cheiro de mofo e, segundo Sandra, de sangue.

Até que como capela, propriamente dita, não era de todo desprezível, apesar do mau trato e da modéstia de seu desenho original. Sandra aproximou-se do altar, mostrou um pedaço do chão de tábuas largas e corridas.

— Foi aqui!

Eu nem lembrava mais da história contada pelo padre, mas achei estranho que Sandra desse importância a uma lenda distante e discutível.

Deixei-a olhando o chão que um dia fora manchado de sangue. Num dos lados da capela, ocupando o centro de um pequeno nicho, coberto por um pano roxo e empoeirado, descobri um velho harmonium, com dois enormes pedais que acionavam os foles de couro, um deles também comido pelos cupins.

Duvidei que aquela geringonça fosse capaz de produzir algum som. Puxei três dos cinco registros que indicavam a procedência alemã do instrumento, inclusive com a indicação gravada na madeira dando a posição central das notas: em lugar do "dó", havia o "ut". Até hoje, as editoras tradicionais ainda usam este "ut" para designar alguns trabalhos de Bach e Beethoven. Os povos latinos o transformaram em "dó", que tem a vantagem de ser pronunciado com uma só emissão de voz, como nas demais notas (ré, mi, fá etc.), e não com duas, "u" e "ti".

Para pressionar os pedais, eu precisava sentar-me no banco também empoeirado. Com o pano roxo limpei o que pude, formando uma nuvem de poeira que cheirava à terra umedecida pelo tempo e pela falta de sol.

Consegui sentar-me, coloquei as mãos sobre o teclado, lembrei-me dos compassos iniciais do "Reverie" de Schumann, uma das músicas que volta e meia tocava no seminário, durante a missa, no momento da consagração — e que me valeu repetidas censuras do celebrante —, que era geralmente o próprio reitor. Ele queria que eu executasse peças que tivessem mais a ver com o instante mais sagrado da missa, e não aquela melodia sentimental, romântica, que nada tinha de religiosa.

Eu argumentava que a melodia de Schumann era suave como devia ser aquele instante de comunhão, a melodia era romântica sem dúvida, sentimental até ao exagero — concedia —, mas era assim que eu sentia aquele momento em que um Deus (em quem não acreditava, mas fazia esforço para crer nele) dava aos homens a sua carne e o seu sangue.

Pois foi esse início de melodia que me veio, mais aos dedos do que à cabeça. O velho harmonium gemeu soturnamente, despertado de seu silêncio de tantos anos. O ar empoeirado, que lhe dava um cheiro de túmulo, vibrou com aqueles acordes lentos — e eu até esqueci Sandra.

Mas ela estava ao meu lado, vendo-me tocar. Em dado instante, passou a mão esquerda sobre o seu antebraço direito, mostrando que a sua pele ficara arrepiada ao ouvir aquela melodia naquele ambiente fora do tempo e de qualquer sentido.

— Veja, estou toda arrepiada... esse lugar... essa música... você tocando para mim... esse sangue...

Tirei as mãos do teclado e os dois pedais fizeram um ruído ridículo de som abafado abruptamente.

— Não há sangue nenhum aqui... esqueça essa história...

— Bem, vou tentar esquecer. Mas agora sei por que você não gosta do piano e prefere o harmonium.

Eu quase disse a ela que, afinal, também ficara sabendo naquele momento a razão de uma preferência. Não, não exatamente uma preferência, mas uma escolha.

***

Essa tem sido, até agora — e parece que para sempre — a principal e quase única dificuldade de minha vida. Na maioria das vezes, deixei que a escolha fosse feita pelos outros e foi assim que fui estudar no seminário, aceitando com alguma placidez uma vocação que não tinha. Lá dentro, também fui incapaz de uma escolha, deixei-me levar, fui um seminarista normal, obediente, casto, estudioso, disciplinado, mas sem empolgação pela vida religiosa e muito menos pelo ofício de padre, que achava bonito, mas nada tinha a ver comigo.

Foi preciso que um superior, o padre que entrevistava os alunos todos os meses, decidisse por mim: eu não dava para padre, o melhor seria voltar ao mundo e tentar ser aquilo que ele chamava de "bom cristão" aqui fora.

Sem escolha, também, aceitei ficar encostado à família, que então se resumia à minha mãe já casada com um homem que eu não apreciava e do qual, sem ter ciúme pelo fato de substituir o meu pai, chegava a ter um desdém que muitas vezes chegava a ser desprezo.

Daí a importância de Sandra, aquela menina que era minha meia-irmã, um pouco filha e um pouco aluna, a qual me afeiçoei de tal modo que, quando a descobri adulta, para ela transferi a responsabilidade de decidir por mim — e ela não apenas aceitou essa responsabilidade, mas se divertiu com ela.

Nós nos estimávamos, podia até dizer que nós nos amávamos como nunca amaríamos mais ninguém. Quando ela disse que eu deveria ser os ouvidos e os olhos dela, estava me dando a compensação desse amor, dessa troca, dessa cumplicidade.

Desde menina ela passou a depender de mim — como hoje eu dependo dela. Por algum motivo que nunca me preocupei em investigar, ela não confiava em nossa mãe e chegava a ser injusta para com o pai dela: afinal, aos olhos de uma criança, era natural que confundisse os dois adultos que faziam parte de seu cotidiano. O pai dela já com quarenta e tantos anos, e eu, pouco mais velho do que ela, devíamos formar em sua cabeça uma imagem do mundo adulto que ela, já especializada em fazer escolhas, dividira em vermelho e negro, em claro e escuro.

Um dia — ela devia ter sete ou oito anos — me perguntou por que o pai dela gostava tanto de cavalos. Tentei explicar que era um jogo, uma forma de desafiar a sorte, talvez o destino.

— Mas por que os cavalos? Eles são bonitos.

Era uma forma de ver e ouvir o mundo que eu não lhe ensinara, pelo contrário, que dela aprenderia. Por isso me tornei tão importante para ela, sobretudo quando ela ficou mais importante do que eu para o mundo.

Os cavalos são bonitos. Devem-se bastar nesta beleza animal, no corpo plástico e veloz, no olhar brilhante, na capacidade de sorver o ar. Só a insensatez humana seria capaz de aproveitar esta manifestação primária da natureza e empregá-la como número de uma roleta, de um bingo idiota.

E foi com essa capacidade de apreender o estágio primário de cada coisa que ela se tornou, antes mesmo dos trinta anos, a mais importante executiva de uma grande firma que explorava uma rede de lojas que seria uma das primeiras a se dedicar ao ramo de departamentos.

Paralelamente, eu, que vivia à sua sombra, desforrando de forma um pouco masoquista os anos em que ela vivera à minha sombra, tinha condições para tocar minha vida com uma independência paradoxal. Desde que Sandra me aprovasse, tudo me era permitido.

***

— Ela não é Deus — disse-me Ebb, na primeira noite em que dormimos juntos. Ela me recriminava o fato de ter uma autonomia apenas aparente: era ainda relativamente jovem, ganhava bem, tinha uma boa base cultural, e, no entanto, vivia subjugado por uma irmã prepotente, quase assexuada, que só pensava em poder, que fizera do poder o objeto único de sua libido.

Eu entendia as razões de Ebb. O pai dela era um sueco que representava uma linha de eletrodomésticos. Contrariando instruções da Matriz em Estocolmo, ele fizera um contrato com

Sandra, que sugou tudo o que podia em termos de vantagens e garantias bancárias. De tal forma ela lucrou, que a Matriz censurou e puniu o pai de Ebb com o envio de um outro funcionário para substituí-lo.

Viúvo desde cedo, tendo em Ebb sua única família, ele entrou em depressão. Tomou algumas providências práticas e inteligentes, deixando um pequeno patrimônio que garantisse a sobrevivência da filha. E suicidou-se civilizadamente, sem dar trabalho a ninguém: numa viagem de navio entre o Rio e Buenos Aires, atirou-se ao mar durante a noite, quando deram por sua falta o barco já ia longe, o comandante assinou os papéis na Polícia Marítima e Ebb recebeu, com a certidão de óbito, uma carta da Cunard lamentando o incidente e apresentando-lhe condolências.

Mais do que justo, portanto, que Ebb detestasse Sandra. Aliás, foi exatamente isso que me aproximou dela. Foi-me apresentada como solista do Corpo de Baile do Municipal, num coquetel em homenagem a Leonid e Massine, que fazia algumas remontagens de seus balés inicialmente concebidos para Diaghilev. Uma das firmas que patrocinavam a temporada era a de Sandra, ela era uma das principais convidadas mas evitava compromissos sociais, só atendia àqueles que eram indispensáveis ao seu poder. Pediu-me que fosse no lugar dela — coisa que acontecia independentemente do fato de me ter nomeado seus olhos e ouvidos.

Reparei naquela moça alta, quase loura, olhos muito azuis, a pele um pouco sardenta. Parecia ter, em torno de si, uma espécie de casamata de vidro ou gelo que a isolava de tudo. Bebia alguma coisa verde num pequenino cálice. Tentei me aproximar mas senti da parte dela uma repulsa que normalmente eu consideraria insultuosa. Afinal, pouco antes de ter início o coquetel, o diretor do Teatro anunciou a presença de algumas autoridades e, embora eu não tivesse nem fosse autoridade nenhuma, fui apresentado como representante da Models — que entre outras atividades culturais, patrocinava todos os anos, em regime de rodízio, temporadas de balé, de ópera e de concertos.

Sandra tentara me convencer a trabalhar nesse setor, dava à Models uma imagem simpática, e em alguns anos ganhara prêmios como empresa do ano. Preferi ficar mais junto dela no setor do pessoal, podia não entender muito do ser humano mas entendia razoavelmente as leis que regulavam, naquele tempo, as relações de trabalho. Além do mais, sabia que era exatamente nisso que ela me desejava, pois não tinha paciência para destrinchar o cipoal da legislação trabalhista nem entusiasmo em conhecer o ser humano em sua atividade mais óbvia, que é a do trabalho.

E era nesse departamento que eu podia exercer em plenitude o ofício para o qual ela me designara desde criança: ser olhos e ouvidos dela. Mesmo assim, sempre que as circunstâncias pediam, ela me designava para representar a empresa em eventos culturais, nos quais de certa forma eu funcionava como seus ouvidos e olhos. No fundo, ela pensava que eu gostava dessa seara, o que era um dos poucos erros que cometia a meu respeito.

Tanto que foi ela quem me chamou a atenção sobre Ebb. Num final de tarde, quando eu me preparava para levá-la em casa — morávamos sozinhos, mas próximos, no mesmo prédio da Lagoa. Eu nada havia comentado sobre o coquetel a Leonid e Massine, dissera apenas que tudo correra normal, que passara parte do meu tempo conversando com uma solista do Corpo de Baile do Municipal, filha de suecos, como ela própria descendia pelo lado paterno de suecos.

Eu não havia dito nada de especial a respeito desse encontro, mas ela sentiu alguma coisa de estranho quando lhe disse que a moça tinha alguma coisa dela, talvez os olhos, o jeito de ouvir com os olhos — que era uma das formas que Sandra mais usava para conversar comigo, principalmente quando queria ir fundo.

Na verdade, limitei-me a contar que a moça, tão logo fomos apresentados pelo diretor do Teatro, perguntou-me como se não desse importância à resposta que eu lhe daria:

— O senhor crê em Deus?

Para início de conversa, num coquetel mundano e idiota, a pergunta poderia parecer uma excrescência, mais tarde fiquei sabendo que era um dos truques de Ebb para afastar pessoas importunas ou de quem ela não gostava.

— Veja bem, a pergunta nada tem de agressiva, de uma forma ou outra todos se perguntam isso, não envolve nenhuma religião específica, já que a boa educação aconselha a não se discutir política e religião em reuniões sociais. E para mim é ótimo ficar sabendo logo de cara com quem estou falando ou se vale mesmo a pena continuar falando. É como se eu perguntasse: o senhor gosta de Roma? Li não sei onde que se pode dividir a humanidade entre os que gostam ou não gostam de Roma...

— Não foi em livro que você leu isso. Você ouviu isso num depoimento de Gore Vidal, num filme de Fellini sobre Roma...

Ebb abriu seus olhos, que em geral eram frios:

— Não é que o senhor tem razão?

E numa reviravolta brusca de assunto:

— O que o senhor está fazendo nesse coquetel?

— Mais ou menos o que você está fazendo: trabalhando. Você representa o Corpo de Baile, segundo o diretor do Teatro, é uma das melhores solistas. Eu represento a Models, não sou nenhum solista, faço parte do coro, mas é de gente como eu que sai o dinheiro para patrocinar inclusive a vinda desse coreógrafo russo...

— É um gênio. Já viu algum balé dele?

— Não. Sou meio desligado do balé mas sei que o senhor Massine é importante, trabalhou com Picasso, Dali, Eric Saltie, De Fala...

— Honestamente, para um representante da Models o senhor está bem-informado.

E novamente brusca:

— Afinal, o senhor não respondeu se acredita em Deus...

Quando contei esse diálogo, que não deixava de ser curioso em meu currículo de olhos e ouvidos de minha irmã, Sandra sentiu que alguma coisa iria acontecer em minha vida.

***

— Você acredita em Deus?

A pergunta era a mesma, mas a circunstância completamente diversa. Ebb não me tratava mais de "senhor". E estava ao meu lado, nua, com seu corpo branco e comprido, as pernas um pouco musculosas, pernas de bailarina, envolvendo as minhas. Entre o nosso primeiro encontro, no coquetel a Massine, e aquele despertar de nossa primeira noite juntos, havia se passado pouco tempo, dois meses, não mais.

Não fizera muito esforço para aquela posse. Certo que ela me intrigara, sobretudo depois que Sandra de certa forma percebera que haveria alguma coisa a me levar para Ebb. Por sua vez, Ebb me parecia fatigada de lutar contra os homens que a assediavam.

Talvez pelo fato de não ter feito isso — meus recalques de ex-seminarista sempre me impediram de me atirar em cima das mulheres — ela me aceitou inicialmente como papo, que ela considerava fora do ritmo a que estava habituada, depois como companhia aparentemente desinteressada — e quando abrimos os olhos, tal como aconteceu certa vez no Paraíso Terrestre, com o primeiro homem e a primeira mulher, vimos que estávamos nus.

— Ainda não sei — respondi com preguiça, aquele cansaço natural que se tem depois, acrescida pelo enfado de um assunto impróprio para a ocasião. — Por que me faz novamente essa pergunta? Afinal, já a respondi da primeira vez, quando nos conhecemos naquele coquetel e você quis apenas me afastar…

— Você não respondeu nem naquela ocasião nem agora.

— É importante para você saber se alguém acredita em Deus?

— Você agora não é mais "alguém". Você me possuiu, me penetrou, eu me entreguei a você, fica importante agora saber quem é você.

— E muda muito se eu acredito ou não em Deus?

— Para mim, muda e muito.

Como em outros assuntos que me desagradam, ou que não me preocupam especificamente, faço o diálogo morrer apelando para o silêncio, quando posso, e quando não posso, para o truque de espacejar as respostas até o ponto em que o assunto perca interesse e o interlocutor se canse.

Apesar de tudo, naquele momento em que prestava contas a Sandra, lembrei do diálogo com Ebb, travado em tão imprópria hora, numa hora mais imprópria ainda. Foi no fim de uma tarde, ou melhor, de um dia de trabalho. Como boa executiva, ela cumpria o ritual das boas executivas e não encerrava o seu expediente nunca antes das vinte horas.

Como geralmente fazia, ela me chamava para checar um outro ponto de sua agenda naquele dia, e mesmo quando o assunto não passava pelo meu departamento nem pelas atribuições, ela gostava de pedir uma opinião, ou nem isso, de pensar em voz alta com aquele que ela considerava seus olhos e ouvidos. Evidente que não me nomeara para essas funções para apenas avaliar candidatos a emprego, e monitorar o desempenho das diversas seções da empresa e, principalmente, cuidar dos interesses da Models nas rotineiras ações na Justiça do Trabalho.

Ela aproveitava esse encontro do final do dia para, entre outras coisas, saber como fora o meu próprio dia. Habituara-se a isso e eu também. Depois íamos jantar em algum canto, quando estávamos cansados demais íamos para casa, e às vezes no meu apartamento, às vezes no dela, fazíamos um lanche que nós próprios providenciávamos.

Pois foi naquele mesmo dia, que eu começara na cama com Ebb e terminei na sala de Sandra. Fora um dia difícil para ela, o diretor financeiro da filial de São Paulo havia deixado passar o prazo do resgate de um título num banco que não se esmerava em ser cordial conosco, já das vezes anteriores fizera ameaças.

— O idiota do Osmar ainda vai criar confusão com este banco. Ele sabe que não podemos facilitar, temos milhares de fornecedores com duplicatas e contratos que vencem todos os dias, os bancos compreendem um ou outro atraso, basta um papo informal com o gerente de plantão, mas o Osmar cisma de só se entender com o presidente do banco, nem sempre é atendido e a turma de baixo, para ver o circo pegar fogo, vem logo com a ameaça, o aviso de apontar o título em cartório. Ora bolas, se estivéssemos em dificuldades, tudo bem, são ossos do ofício. Mas estamos com gordura bastante para não cairmos nessa rotina de esticar o pagamento de compromissos para fazer caixa. Não precisamos disso, felizmente, e o Osmar, responsável pela praça de maior movimento, está careca de saber disso. Qualquer dia desses vou começar a armar um esquema. Ou ele se enquadra ou meto-lhe uma casca de banana no caminho e ele dança.

Poucas vezes ouvira e vira Sandra tão irritada com um detalhe operacional, importante sem dúvida, mas sem transcendência na vida da empresa. Fazia parte de minhas obrigações entender o humor dela, de maneira que não fiz nenhum comentário, sabendo como de outras vezes que ela falava em voz alta e queria que eu a escutasse e guardasse.

Por todos os motivos, eu deveria me manter calado. Não me competia defender ou fazer carga contra o nosso homem em São Paulo, de quem nem Sandra e eu gostávamos. E calado deveria ficar, a menos que tivesse alguma boa história para contar, uma fofoca do dia que a distraísse, ou, pelo menos, a relaxasse.

Surpreendi-me (muito mais do que eu a ela) com esta pergunta imbecil:

— E você, Sandra, acredita em Deus?

***

— Afinal, você acredita em Deus? De verdade?

Para chegar àquela pergunta, quase irritada, é que realmente o diretor espiritual no seminário estava me mandando embora. Eu não havia feito nada de grave nos quase oito anos de claustro, uma ou outra indisciplina sem importância, alguma relutância em aceitar a censura de certas leituras (sempre que podia eu violava a lista dos livros que não devia ler), mas nenhuma incompatibilidade grave com a vida que levava. Se não reparassem, eu acabaria indo adiante, me ordenaria padre, não seria nenhum sacerdote maravilhoso mas daria para o gasto e talvez nem provocasse escândalo.

Mas seria um escândalo, mesmo para uma consciência amortecida pela comodidade, como a minha, exercer uma função sem acreditar na sua própria essência. Isso sem falar no outro lado da questão, no escândalo que provocaria quando meus paroquianos, meus alunos, os fiéis que a Igreja e o destino colocassem à minha frente, descobrissem que eu era um embuste, um vigarista, que pregava um Deus em que não acreditava.

Procurei me explicar ao diretor espiritual da melhor maneira. Sentia atração não pela vida religiosa em si, a vida feita em prece e meditação, em amor a Deus e ao próximo. Esses pontos sempre me pareceram obscuros, afinal, o que é amar a Deus sobre todas as coisas, ponto de partida nas relações entre Deus e o homem e que está gravado na lei mosaica que passou para o cristianismo?

Mas a vida em comunidade, quase conventual, essa me agradava, hora certa das coisas acontecerem, palácio da Bela e da Fera onde tudo acontecia magicamente, as velas acesas na capela, a bola de pingue-pongue na mesa esverdeada do recreio, o quadro-negro das salas de aula esperando pelo giz do cônego Simeão explicando as equações de segundo grau, os longos silêncios na parte da tarde, quando podíamos estudar as lições, ler ou simplesmente meditar naquilo que quiséssemos — tudo isso constituía uma rotina repousante que eu considerava maravilhosa, sem os sobressaltos, os imprevistos, as agressões do mundo — um mundo que então estava em guerra, com homens se matando, com fortunas que poderiam acabar com a fome da humanidade sendo gastas em minas submarinas, em armas devastadoras, numa imbecilidade que poderia ser a maior de toda a história mas que certamente não seria a última.

O diretor espiritual era um bom homem, fazia esforço para me compreender, só não podia trair seu ofício, que era o de tentar uma avaliação de minhas possibilidades na carreira sacerdotal.

— Boas intenções não fazem um sacerdote. Aliás, não fazem função alguma, nem a do médico, a do soldado, a do lixeiro. É preciso, além do aprendizado técnico de cada profissão, uma disposição, ainda que não seja exatamente um entusiasmo.

Ele procurava um atalho para justificar minha vontade de permanecer no seminário. Mas estava cada vez mais difícil, pois de minha parte, considerando a seriedade daquela conversa, decidi ser sincero ainda que lutasse contra mim próprio.

— Gostaria de uma coisa — disse o diretor espiritual, num tom que procurava encerrar o assunto. — Há muitas contradições em sua maneira de ser e de se colocar diante do problema religioso, mas reconheço-lhe a honestidade, a vontade de continuar aqui, com medo do mundo lá de fora que você não aceita. Talvez entenda, mas não aceita. Ao contrário daqui, que você não aceita, mas até certo ponto ama — estou usando palavras suas.

Concordei:

— Acho que é isso mesmo. O senhor colocou bem a questão.

— Muito bem. Então colabore comigo, me dê dois ou três motivos para que eu comece a duvidar de sua tibieza religiosa. Deus, em si, como conceito ou como senhor do Bem e do Mal, não lhe diz nada. Está bem, em princípio, isso já seria razão para pedir que abandonasse o seminário. Mas me ajude a ajudá-lo. Me dê pelo menos dois, três motivos para que eu possa avaliar até que ponto você ainda pode ser.... (ele ia dizer "salvo") recuperado...

— Bem, para falar com franqueza, embora nunca tenha sentido a presença de Deus, a sua necessidade na história e na alma do homem, sinto muito forte, dentro de mim, o exemplo de alguns santos, de homens como eu e como o senhor, que viveram em outras circunstâncias mas souberam criar ou aceitar um clima fora do mundo e até fora do próprio homem. Isso sempre me comoveu.

— Já sei. Você é devoto de santo Antônio... por causa dos balões das festas juninas... porque ele ajuda a encontrar objetos perdidos, a abrir gavetas emperradas... você chama isso de "estar fora do mundo"?

— Não. Mas o sermão que ele pregou aos peixes...

— Homens como você não quiseram escutá-lo.

— Sim... de certa forma, mas o que me comove é a simplicidade dele, a naturalidade com que se dirigiu aos peixes, pouco importando se isso servia ou não aos peixes...

O diretor espiritual pareceu pensar no que lhe dissera, mas ou não me entendeu ou entendeu demais.

— E há o caso de José e de Maria — acrescentei.

O padre ficou sério, temendo que eu profanasse a conversa com uma blasfêmia que ele teria de revidar ou punir.

— Não conheço história mais bonita, história de amor por sinal, do que a de Maria e José. Uma menina de 15 anos, perdida numa Galileia rude, região que nem era apreciada pelo restante do povo judeu, de repente, sem ter conhecido homem, recebe o anúncio de que está grávida, submete-se ao anjo que lhe apareceu, diz a frase mais importante de toda a Bíblia, nela se incluindo os dois Testamentos, "seja feita em mim a sua vontade". Nem no Eclesiastes, que é o livro literariamente mais perfeito, nem nas cartas de Paulo, que são os mais deflagradores de pensamento, há a simplicidade e a verdade dessa submissão, "seja feita em mim a sua vontade".

O diretor espiritual mostrava-se surpreendido com a veemência com que eu falara. Continuei:

— E José? Um homem de meia-idade, viúvo, muito velho para aquela jovem que ainda "não conhecia homem", nem mesmo o homem que ele era. E fica sabendo pelo anjo que está grávida, terá um filho que não é dele, mas nem por isso deve perder a cabeça, nem procurar entender, é enfrentar um desígnio superior à sua compreensão…

— Você daria um ótimo pregador sabe? É pena que não possamos aproveitá-lo…

— E tem mais: José aceita o mistério, o mistério que desabou sobre ele, sobre sua carne, sobre seu orgulho de macho, um homem mais velho, aparecer com a mulher jovem e grávida aos olhos dos outros… foi outra forma de submissão quase tão importante quanto a de Maria em relação à vontade do Senhor…

— Não sei por que insiste nesse "Senhor" se você não acredita nele…

— Maria acreditou… José acreditou… a grandeza deles não está no que acreditaram ou deixaram de acreditar. Mas na submissão a uma vontade maior do que o entendimento deles, a conveniência deles.

Para meu espanto, o diretor espiritual mudou o tom da conversa e admitiu:

— Curioso... tudo isso que você acaba de falar me parece que tem alguma coisa de blasfêmia, de insulto à verdadeira religiosidade. Mas há algum sentido nisso, confesso que nunca encarei esses trechos tão límpidos dos evangelhos da forma que você apresenta... mas, reconheço, faz aquilo que os americanos pragmáticos chamam de *"make sense"*, fazem sentido...

Apesar de ter admitido esse "sentido", ele não alterou o tom de voz, entre condescendente e implacável.

— Sinto muito, Falcão, mas isso não basta a um homem, se despojar da razão e abraçar uma fé. Religião não é uma filosofia, uma ideologia, uma maneira de caminhar pelo mundo. É muito mais do que isso. E você não se mostra disposto a aceitar a regra do jogo...

— Devo abandonar a partida?

— Acho que sim. É melhor para nós. É melhor sobretudo para você.

※ ※ ※

Nunca soube responder a essa pergunta, apesar das muitas vezes em que ela me foi feita, tanto lá do seminário, quando teria uma resposta facilitada pelas circunstâncias e pelo clima espiritual em que vivia, quanto aqui fora — e quando digo "aqui fora" não estou me referindo a uma circunstância a mais, mas um novo estado, a um novo tipo de homem. Donde poderia concluir que, em essência, continuei o mesmo.

Tanto para o diretor espiritual como para Ebb, em condições tão estranhas e diferentes, não soube responder a essa questão, que no fundo, não me preocupava seriamente. Achava que Deus, existindo ou não, pouco teria a ver comigo e eu com ele. Desde que cumprisse minhas obrigações para comigo mesmo, não haveria motivo para alterar minha conduta e meu pensamento. Se Deus existisse, saberia que eu procurava ser um homem criado à sua imagem e semelhança. Se não existisse, aí mesmo é que não teria contas a prestar a ninguém, ou melhor, só teria contas a prestar à Sandra.

E foi justamente Sandra a única que me deu uma resposta compatível com a pergunta. Quando a fiz, num final de dia difícil, em que ela estava particularmente irritada por um problema criado pelo diretor da filial de São Paulo, Sandra me olhou com curiosidade, como se nunca me tivesse olhado, nem soubesse o que eu estava fazendo ali, na sua sala, depois do expediente da empresa.

— Acredito em mim. É uma forma de acreditar em Deus, não acha?

— Você se considera Deus? — Fiz a pergunta sem provocação, apenas para melhor compreender o que ela queria dizer.

— Não. Se fosse, mandaria esse idiota de São Paulo para o inferno.

— Você acredita no inferno?

Ela pareceu me dar importância. Encarou-me com um jeito infantil, lembrando aquela criança que durante tantos anos foi minha irmãzinha e minha discípula:

— Você me fez acreditar no inferno. Lembra-se?

Nem precisava lembrar. Sempre foi um dos meus truques dizer que o inferno era uma realidade, ao contrário do paraíso, que era uma hipótese.

Poderia ter-lhe ensinado que, segundo são Paulo, nós todos, eu, ela, todo mundo, inclusive o idiota responsável pela praça paulista, éramos templos do Deus Vivo. Mas eu próprio não saberia dizer o que isso representava, de maneira que essa frase de são Paulo ficou para mim como um axioma que não me interessava provar, como tantos outros da álgebra, da mecânica espacial, da geometria, da física quântica.

Já o inferno era uma realidade diária, não no sentido do sofrimento, da purgação de pecados, do império do Mal, mas de uma incompatibilidade entre o que era e o que poderia ter sido para todos, inclusive e principalmente para mim. E para ela, Sandra. Se não fôssemos irmãos, se não tivéssemos as lembranças comuns em que fui seu mundo e seu deus, o que poderíamos ser agora que ela funcionava para mim como um simulacro de deusa, pagã e poderosa, da qual eu dependia e a qual amava sobre todas as coisas?

Sim, Sandra não era nenhuma deusa, nem mesmo a minha deusa particular, mas me conhecia fundo. Esqueceu o idiota da praça de São Paulo e me encarou com aquele jeito de olhar que não chegara a transferir para mim, guardando-o para si e para melhor me dominar:

— Foi aquela bailarina que lhe perguntou isso?

Procurei ganhar tempo:

— Isso o quê?

— Se você acredita em Deus.

— Sim, ela me perguntou isso, hoje de manhã.

— Na cama?

— Sim, na cama, dormimos juntos hoje, pela primeira vez.

— Eu sabia que ia terminar assim. Olhe, não tenho nada com a sua vida, mas acho que ela não combina com você.

— Quer dizer, não combina conosco, eu e você.

— Que seja.

— Fique descansada, não vou lhe pedir licença para isso.

— Mas eu sou obrigada a pensar nisso. Criamos uma vida à parte, lembre-se, foi iniciativa minha, você dizia que era uma conspiração, inicialmente contra meu pai e contra a nossa mãe. Depois contra tudo. E olhe que tem dado certo. Não se mexe em time que está ganhando.

E voltando ao aborrecimento daquela tarde:

— Por isso mesmo não vou demitir aquele idiota de São Paulo. Foi um acidente de percurso.

— Pois o caso desta manhã foi também um acidente de percurso. Já houve outros, por sinal. E você nem percebeu.

— É que foram de fato "acidentes".

— E por que esse de hoje também não é um acidente?

— Pelo cheiro. Pedi que você fosse meus olhos e ouvidos. Mas o nariz continua meu, não o transferi para você.

Direção editorial
Daniele Cajueiro

Editora responsável
Janaína Senna

Produção editorial
Adriana Torres
Laiane Flores
Allex Machado

Revisão
Bárbara Anaissi
Clarice Goulart
Mariana Oliveira

Diagramação
Alfredo Rodrigues

Este livro foi impresso em 2022
para a Nova Fronteira.